JN097026

地球村の終焉

絶望と希望のはざまで

片岡幸彦
KATAOKA Sachihiko

文理閣

目次

I　エッセー

Ⅱ 評論・講演

Ⅰ　エッセー

生きとし生ける人間として　―子供の頃の覚醒―

わたしが生きていると初めて自覚した機会は、二度あったと思う。一度は、幼い頃からよく病を得、床に臥していたときだ。

日頃は近隣のガキ共と路地裏を走り回り、何も意識することなく遊び惚(ほう)けていた自分が、こうして氷枕に頭を乗せ、火鉢の上でヤカンが湯気を上げる部屋のなかで、実は生まれながら病弱であることを知らされたとき。寝静まった夜半、ひとり板張りの天井の筋目を遠くに眺めながら、子供心に生きることの難儀さというか、個体としての自分の存在のいかにも頼り無いことを悟らされた。

二度目は今少し鮮烈である。

あるときひとり子供部屋の格子戸からぼんやりと空を眺めていた。自分が何をしていたのかははっきり記憶にはない。しかしなんの変哲もない灰色の雲に覆われた空間が一瞬異様に自分に迫って来た。「自分はいつかは死して、無に帰す」。言いようのない戦慄が心の内を貫いた。突然天から舞い降りたこのメッセージが幼いわたしを打ちのめした。それは言いようのない不安と絶望感だったと思う。

以来この冷酷な経験は、紛れもない感覚として、厳然たる真実として、またその意識として自分の心に刻みつけられて行った。

小学校に上がるかどうかの子供にとって、なぜそのような意識をもったのかはまだ分かってはいなかった。しかしおそらく、その戦慄の背後に、人の死が意味する「無限の無」という感覚があったのだと思う。その感覚はいまでも心に鮮明に刻まれている。また、ものを考える大人になって、「死」の問題を考えるとき、必ずその感覚が甦ってくるのである。頭にだけでなく、体全体に、その時の戦慄が走る。

なぜそんな話を持ち出すのかと言えば、それがわたしの人生の偽らざる、否定することのできない原点だと思うからである。

例えば釈迦の教えで引き合いに出されるキーワードに、「生老病死」という言葉がある。人は生まれ生きて、やがて老いて、病を得、そして死に至る、ということか。しかし子細に人の生き方を辿れば、いま少し複雑であろうし、また人生がその言葉通りに進むとは限らないだろう。

順序は不同だが、生まれ生きて、遊び学んで、人を愛し、働き、家族を持つ。あるいは、あれこれ挫折を経験し、またやり直す。老いは二〇歳から始まると言うし、病も突然やって来て死に至るケースもあるだろう。千差万別とまでいかなくとも、人の生は多様である。また理不尽なことも多く、矛盾に満ちている。喜びや楽しいことは少なく、悩むこと、苦しむこと、悲しみにくれることの方がむしろ多いと言える。

フランスの作家で政治家だったバンジャマン・コンスタンは、自分の日記の片隅に、「人生は闘いである」と記したと言われる。世間との闘い、他人との闘い、自分との闘い……絶えざる闘いの連続と言って良いかもしれない。だから人の「死」は悲しい「終わり」なのではなく、むしろ苦しい闘いや悩みからの喜ばしい「解放」とも言われるのだろう。

しかし、哺乳動物の多くは、死して何がしかのものを残す。あるものは皮を、あるものは毛を、あるものは角を、また多くがその肉を残す。では人間は死して何を残すのだろうか。ペンや筆で身を立てた者は作品を残すが、名を残す政治家や経済人は稀である。文明が進めば進むほど、人間が地の糧になることはない。一時の風塵と成り果てるのみである。

ひとりの人間として生きる美学を
―明日を生きるささやかなメッセージ―

一、この世に生まれ、戦後六〇年余を生きて

筆者は七人目の末子として生まれた。生まれた時から虚弱児で、果たして満足に育つか危ぶまれた。長男を早くに亡くした母は、朝一番に起き、仏壇に、神棚に、次いで庭の片隅に置かれたお稲荷さんへと足を運び、毎日虚弱児の健康を祈り続け、九七歳で亡くなるまで終わることはなかった。

一方、建築家として羽振りを利かしていた父は、東京大空襲後に累々と重なって放置された死体の山、腹を上に隅田川に浮かぶ女性の惨状を見て、「まさに地獄だ、日本は負けるよ」とぼそりと言ってから急速に精彩を欠いて行った。自慢の豪邸も焼かれ、郊外の田んぼの外れに建った狭い長屋で、戦後間もなく栄養失調で結核に罹り、亡くなる前夜、天井裏を駆ける鼠の音を聞き、「明日

は鼠をお采（おかず）にしなさい」と譫言を言って逝った。

気勝ちの虚弱児の方は母親の心配を余所に、学校から帰ると、ひたすら路地を餓鬼どもと走り回った。しかし流石に敗戦後の父の死後は、心は内に向かい、この人間社会は何なのか、そもそも生きるとは何かなどばかりを考えるようになり、小説の類を読み漁るようになった。

それから三〇年後、この虚弱児の父から生まれた娘の一人が、何の因果か皮膚疾患に苦しみ、人前も憚る不運に見舞われた。原因は不明で、経済成長期に生まれた子供たちに共通に見られるアレルギー性疾患と診断された。今では一般に化学洗剤・合成食材・産業公害が原因と考えられていて、この種の病魔は未だに形を変えて広がり続けている。

幸い気丈な娘はキャリアウーマンとして、今は「わが世の春」を送っている。

しかしその一方で、第二次産業革命と言われる一九六〇年代半ばに始まる石油化学の発展は、「ベトナム戦争」景気と赤字国債にも助けられ、日本経済を急速に潤し、一九八〇年代には「世界ナンバーワン経済」と持ち上げられた。「原子力発電」も急速に導入され続け、「国際国家日本」を謳歌するほどに成長を遂げた。公害も外国に輸出されることで、いつしか忘れられ、バブル崩壊後も科学技術立国が標榜されて、もはや人類文明の進歩を疑うものは一人もいなかった。

二、変わらぬ「世」の理不尽とどう向き合うか

この世はまことに理不尽に満ち、皮肉に出来ていると思えてならない。東北大震災後、これまで疑うことを知らなかった「文明」の進歩に、やっと疑問の目が向けられ始めている。これまで科学技術進歩を主導してきた政治経済がひとつの岐路に立たされている。そのルーツを探り、西欧近代化社会の功罪を根本から問い直そうとする研究グループもあちこちで動き出した。東北の海辺に創られた人工集落は壊滅した。しかし昔からある伝統集落も被害を受けたが、そこに止まって困難な生活を強いられている人たちほど気力が衰えていないと言う。

的確迅速な手を打てない政治行政の谷間で、昔からのコミュニティが持つ相互扶助の文化が息を吹き返していると聞く。メガロポリス東京を始め全国に張り巡らされた人工都市国家日本社会の脆さが浮き彫りにされる一方で、皮肉なことに大震災のお蔭で、本来の真っ当な再生の知恵の芽が、貧しく厳しい自然環境の中で多くの優れた詩人を生んだ東北から、今生まれようとしている。

外圧を契機に西欧の近代化を採用してきた日本の一五〇年は、戦後知識人を代表する丸山眞男や加藤周一の言うように、一口で言えば失敗の歴史と言わざるを得ない。一方、一定の成功を収めたと見られて来た欧米社会も大きな岐路に立たされている。ＢＲＩＣＳと言われる新興大国や新たに

台頭してきているイスラム諸国を加えてみても、この荒波を超えて希望の新大陸（?）に辿り着くことは容易ではない。

視界はほとんどゼロに近く、進路を示す海図も持てないでいる。権力・地位・金力の持ち主や、世界を牽引する指導者の名前や国籍は変わっても、基本的な世界システムや社会のパラダイムが変わらない限り、そのような政治経済に私たちの未来を託すことなど出来るとは到底思えない。

三、生きるための人間再生の文化を

(一) 思考回路逆転のすすめ

多くの人たちがいま一つの文明の終わりを予感しているように見える。これまで社会を動かし、推進してきた政治経済社会システムに依拠したり、それを支えて来た社会科学に期待することから、ここで一旦その柵（しがらみ）から自分を解放してみてはどうであろうか。このまま何もしないで、何も発言しないでいることは、自分たちのために生きる権利や義務を放棄することでもあり、自分たちで自分たちの墓穴が掘られるのを座して見ているのに等しいとも言えよう。そのためには、まずは、これまでの価値観や思考の回路を一度思い切って逆転してみてはどうか。上から見てきたものを、下から見ること、外から見てきたことを内から見ることではなかろうか。

昔、文学を研究していた筆者に、経済学者が「あなたの学問は何の役に立つのですか」薄笑いを浮かべて、聞いてきたことがある。またある法学者からは「文学・芸術などの文化は、経済社会が豊かなときに初めて社会から認知されるのでしょ」と、窘められた。また何年か前、あるジャーナリストが日本の現状を憂えて、「日本には御用学者と無用学者しかいない」と指弾した。多くの御用学者を輩出して来たとも言える社会科学者が立ち往生しているとき、「無用学者」と名指しされた文化論者が細やかな役割を果たす時が来たと受け止めるべきでなかろうか。つまり「文化が、社会を変え、政治を変え、世界を変える」という、これまでとは違う視点でことに当たり、考えてみる試練の時代が来たと言えよう。

（二）人間性の原点からの回復とその社会化

本来人間が拠って立つ基盤を見据え、人間性の原点に立って人間性の回復をはかることが大事ではなかろうか。もとより、社会は理不尽に溢れ、そのなかで人間性を保つことも容易ではないだろう。その意味では一人ひとりの人間性そのものがつねに危機に晒されている。言わば人生は、この当てのない葛藤の中に終生晒されている。確かにこの葛藤が一人だけのものでないと思えば、ひと時の安らぎを得られるかもしれない。またこれまで幾千年も幾万年も人類が紡ぎ出してきたアートが与えてくれる美の力、思想や宗教心がもたらしてくれる倫理の力が、「孤独感」や「絶望感」から解放してくれることもあろう。

「雲は天才である」と言った詩人のように、朱雲や夕日に照らされた竹林が光となって燃える時、自分がそれと一体となり、至福の時を迎えることもある。人によってはそこに「神」の存在を見ることもあろう。あるいはそれとはやや対照的に見えるが、路傍に転がる土くれ石くれに言いようのない親近感を覚えることもあり、自分の生命と土くれとの境界が取れて、一つとなることもある。

しかし大事なことは、過去の文化の栄光に寄り掛かることではなく、一人ひとりの人間がそこからくみ取れる英知を、それぞれの仕方で内在化して、自分自身の人間文化を紡ぎ出すことから始めることなのだと思う。そしてそのような細やかなる文化を合い持ち寄ることを通して、本来の人間文化が実り、社会再生の貴重なシーズとなるのだと思う。

(三)「無償の行為」と「無心と有情」

人はひとりで生きているわけではなく、他者との関わりのなかで、その関係性によって生かされている。そこで人生を心豊かに生きる上で、いまひとつ心に留めてほしいことがある。そのひとつが「無償の行為」である。

因果関係や利益優先の社会のなかで、損得を超えて、一つのコミュニティのために自分を投げ出す。行政や組織に依存しないで、誰もやりたがらないことで、誰かがやらなければならないことを、褒賞や利害を捨てて進んで引き受けること。場合によっては「自己犠牲」にいたることもあろう。しかし実はこのような自ら進んで選んだ行為は、必ずしも他人のためにやることなのではない。その「無償行為」そのものが、人が生きて行く上で、他に代えがたい、その人にとっての糧となることを知ってほしい。このような経験を知らない人の人生は、余りにも空しく、侘しく、貧しいものと映るからである。

いまひとつ、人は出来るだけこの「世」の塵芥（ちりあくた）や欲望から自由でありたいと思うことがある。純真な少年少女の話ではない。あるとき先輩から「清流無心」と書かれた色紙を受け取ったことがあった。「世」にしばしば起こる「もめごと」を解決しなければならない立場に立たされたときのことである。

先輩の色紙の四文字漢語に込められた意図は、この「難題」と無心で向き合い、決して片方に肩入れしたり、策を弄したりしないで、八方円満にスマートに解決してほしいというメッセージだったと思う。しかし現実はそれほど八方円満に収められるとは限らない。むしろ重大な問題ほど困難である。結局、当事者の誰かが多かれ少なかれ「汚れ役」を演じ、先輩にまでその「汚れ」を及ぼさないような形で決着をつけることとなった。

それから半年後、先輩への年賀状に、「清流無心」の四文字に「泰山有情」の四文字を加えて送った。嫌味を言われたことは言うまでもない。その年賀状に記された八文字に込められたメッセージは、こういうものだ。「誰しも世の喧騒から離れ、清き流れに身をまかせ、一切の野心を捨て、心安らかに生きたいと思う。しかしその一方で、苦しみ、悩み、病む人来れば、泰山の如き心もて、その人に情を移したいとも思うのではないか」と。

以上は、これまで数多くの先人が残したメッセージの欠片(かけら)に過ぎないが、これからの多難な時代社会に在って、とかく無為流転のこの世の条理と不条理の狭間で、自分らしく誇りをもって心豊かに生きたいと願う、若き後輩の皆さんへの、ささやかなメッセージになればと思う。

(二〇一一年六月)

私とヴェトナムとの出会い

一九七三年秋、初めて黒人西アフリカを訪問し、ギニアにも足を延ばしたとき、駐ヴェトナム大使館から会いたいとの連絡が入った。このとき大使に会ったのが私のヴェトナムとの最初の出会いである。大使は会談の最後に、「この国の事情が分からない、応援したくともどうしたら良いかが分からない。貴方に仲介の労を取ってもらえないか」と言った。早速ギニアのキッシンジャーと言われた大統領側近の大臣に、趣旨を伝え、直接大使に連絡するよう頼んだ。確かにこの国を離れる前日、セク・ツーレ大統領の使者が親書を携えてやって来たものの、そちらの結果がどうなったかは分からずじまいに終わった。

二度目は、一九九〇年カンボジア訪問団団長として空路プノンペンを訪れたときだ。予約した航空便がキャンセルになり、サイゴン（現ホーチミン）に一週間留め置かれることになった。これが最初のヴェトナム滞在である。街の風情は明るく賑やかで、立派な書店もあり、ホテルのフロントや街で見かけるアオザイ姿は目を見張らせた。カフェに座るとギャルソンの対応が実にキビキビしている。バンコク経由で偶々サイゴンに遊んだ私たち一行は、異口同音に、ヴェトナムはASEAN諸国の優れた文明国だと思ったものである。

三度目は、大阪の南で、大学作りを担わされたとき、海外の大学との提携を図ることになり、ヴェトナムからも編入留学生を受け入れることになったのが縁である。役目柄ヴェトナムに何度か足を運び、私のゼミもアジアの留学生が多数を占めた。さてやっと大学設置業務から解放された矢先のことだ。是非ヴェトナムにお出で願いたいとの手紙が届いた。すでに七二歳。思案の末、半年お待ち願って、二〇〇二年九月から二〇〇四年六月までの二年間、ハノイ国家大学の教壇に立つことになった。奇しき縁とはこのことであろう。

以来私は本来のフランスやアフリカ研究を横に、ヴェトナムに取り込まれることになった。やり出すと熱が入るらしい。翌年秋に東アジアサミットの初会合が報じられると、これを成功させたい思いで、大学から大使館へ申請書を出してもらい、私は東京に飛んで、国際交流基金の担当部長に会った。経過はあったが、申請は受理、承認され、二二〇〇〇$の助成を得た。産みは易し！　しかしそれからが大変だった。学長からは「顧問になれ」と言われ、二日三晩に及ぶセミナーの運営とプログラムの作成、資金集めなど、すべては片岡任せだった。最後は下痢と腹痛に悩まされて終わった。

今にして思えば、いろいろ勉強をさせてもらったと言えよう。これが機縁となり、その後も大学に招かれることになったが、もとより決して良いことばかりがあったわけではない。辛酸も舐めた。これまた貴重な経験と言うべきだろう。以来私も多少ヴェトナム文化に通じることになったし、それだけヴェトナム贔屓(びいき)にもなれたのだと思う。

「普通の人々」の生活・労働と人生観にもっと学べ

一

世間では、とかくいわゆる「著名人」に注目が集まる。また歴史の叙述を見ても、その時代・社会で活躍した人物を登場させて、その時代・社会の特徴や歴史の流れを説明するのが常識になっている。その時代を動かしたとする政治家・経済人・思想家、それに代表的な作家・芸術家を添えるというパターンが多い。だから、世界史であれ日本史であれ、いつの時代でも歴史はその時代の権力者というか支配者の視点で描かれ、時代が変われば、また書き変えられることも多い。歴史叙述が正確になったという単純なものでは決してない。

一例を挙げれば、日本の高校世界史Bでの叙述で、西欧文明の成り立ちとギリシャのヘレニズム文化の関係が史実を歪めた「捏造」である疑いに一向に無関心でいられるのも、西欧中心主義の歴史観をそのまま受け継ぐという過ちに一顧だにせず、平然としていられるというわけである。

もとより人間の歴史や文明史を動かして来た指導者には一定の敬意を払うべきであろうし、またその陰で新しい文明の利器をこつこつと開発してきた科学技術者にも敬意を払わなければならないだろう。しかし、その結果、戦争や紛争で多大の損害を被ってきた普通の人々の存在を忘れてはならない。また文明の進歩が今日私たちに何をもたらしてくれたのかを、よくよく考えてみなければなるまい。

例えば人間がこの地球上で霊長類として、つまり動植物の王者として、我々の先祖でもある彼らに良きことを成し遂げて来れたのかを、よく考えてみる必要があろう。また人間自身の問題についても、地球上でこの先果たして幸せに生きて行くことが出来るのか、各方面から疑問符が投げかけられている現実を、私たちはしっかり受けとめているのか検証し、深い反省もしなければならないであろう。

そのように視覚を変えて見るだけでも、国や社会を動かしていると自認している、いわゆる指導者やエリートの責任は極めて大きいはずだが、そういう人々が職を離れた後に結果が問われる事態に対して、責任を取ったという話はほとんど聞いたことがない。それだけに彼らの罪は普通の人々に比べ、決定的に大きいと言わねばならない。しかし歴史は、これまで常に時の権力者と彼が作ったシステムによって書かれて来たし、今も書かれ続けている。それでも時の権力者に異を唱えた勇者が歴史の片隅に辛うじて残される例も皆無ではないのが、せめてもの慰めであろうか。

しかし、いずれにしろ少数の時の指導者やエリートが、例え彼らの間で権力を巡る小競り合いはあるにしろ、大多数の普通の人々の上に、彼らがあぐらをかいて生きてきたことに変わりはない。今私たちは「歴史」が彼らの視点を中心に書かれて来たという事実を、私たちがどう受け止め、どう変えることができるのかを真剣に問わなければならないのだ。

二

一方官製(?)「歴史」とは違う視点で書かれたり、描かれるものがある。いわゆる世に言う優れた文学作品や芸術作品である。そこでは、ある時代社会で政治経済の貧困故に挫折を繰り返したり、苦しみや悲しみを抱えながら踏ん張って生きている人々が、時には主人公として、または群像として登場し、私たちに必死に語りかけてくる。私たちはそれらに接することで心を動かされ、これまで読まされてきた官製「歴史」の弱点や盲点に初めて気付かされる。

しかも彼らこそが、私たちの歴史そのものを下支えしてきたのだから、私たちはその存在を目の当たりにすることによって、初めて歴史の真実の姿を垣間見たことになり、それだけにまた印象も感動も大きいのである。つまり私たちは、ここでやっと時代社会のリアルな現実の一端に触れ、人間が歩んできた私たちの歴史を目の当たりにすることができたのである。

しかし、そこに問題がないわけではない。一つは、そこに描かれる「普通の人々」はリアルに描かれれば描かれるほど、「美しい！」と感動を誘う場合もある。しかし恵まれない環境におかれているだけに、むしろ虐げられ、夢を追い続けながら挫折するケースも少なくない。その場合は人間誰しも持っている性（さが）が炙り出され、却って読者にやりきれない、哀れな思いを抱かせることもあるのだ。その時に、その時代社会の背景にまで視点が届くように描かれているかどうか、作品の側も問われるし、読者の方にも読む力が問われるわけである。

最近「〇〇賞」受賞作品と銘打った作品を書店の店頭で手にすることがあるが、大げさに宣伝されている割には、がっかりさせられるものが多い。その原因は作家の側にあるのか、賞を選ぶ者やスポンサーの側にあるのかは分からないが、どうも力不足は否めない。書店の店先だけで判断するなという批判も聞こえてきそうだが、文章や構想力に力や斬新さが見られないことは見逃しようがない。その原因がどこにあるのかは突き詰めて行かなければならないであろうが……。

今一つは、これまでの文学作品や芸術作品のほとんどが、書かれた時代社会から評価され、多くの読者や愛好家を得た事例が稀だという現実である。今も読み継がれている一〇〇年前二〇〇年前に書かれた文学作品にしろ、多くの愛好家を得て世に流布している絵画や彫刻や楽曲も、それらが創作された時代には、多くは無視され、彼らが死して後に初めて少しずつ認められて来たのが実態である。もとより彼らのなかにも庇護者を得るという幸運に恵まれたものがないわけではないが、彼らのほとんどが日々命を削り、爪に火を灯し、苦労を重ね、日常では不幸を味わい、早くに世を去っている。

そういう私自身にも問題がある。一人前にハングリー時代を経験し、早くには小説家や詩人を志した。しかし力及ばず、結局諦めている。さりとて労働者や技術者として生きるだけの力も才能も欠けていた。その後、運良く大学の教壇に立ち、誰も読まない研究論文に精を出し、その一方で申し訳のように社会活動や評論にも手を染めて来た。こうして糊口を凌ぎつつ、自分の生きている時代社会にもの申しては来たが、顧みれば私自身も「普通の人」の端くれに過ぎないことを今更ながら自覚させられている。

しかし、そういう内容乏しい人生のなかで培ってきた人生観や価値観は、世の政治家や経済人とは一線を画している。つまり、私は「普通の人々」の側に身を寄せつつ、その視点を大事にして、世にのさばる権力・利権・マネーとは粘り強く闘いたいと願っている。

「真善美」をめぐる独り言

私たち人類はどこから来て、これからどこへ向かって行くのか。そもそも人間とは何者なのか。そして、私たち日本人は、日本の社会は、日本の国はこれからどうなるのか、どこへ向かって行くのか。過去を見返り、今をリアルに捉え、そして未来をどう見通すことが出来るのか。

そのための手始めに、過去の正の遺産と負の遺産をしっかり見分け、何より今背負っている「負の遺産」をどう乗り切り、解決するのか。今の政治経済社会がそれに蓋をして、さらに「負の遺産」を助長するようなことになるのであれば、私たちは自身のためだけでなく、未来の世代のためにも「負の遺産」の正体を見極め、これをきっぱり断ち切らなければならないだろう。たとえ、その余力が僅かしか残されていないとしても。

しかし一方そういう私自身、今世上で取りざたされている「下流老人」の一人であることも自覚され、その身を具に顧みれば、己の多様な欲望との矛盾に悩まされ続けていると言わなければならない。辛いがそれが私自身の偽らざる現実と言えよう。しかしだ。過去を慮っている時間も余裕もないのが、今の厳しい現実である。

ではそれをどのように受け止め、解きほぐし、たとえ微かな灯りであれ、そこに未来への希望の光を見出さなければならないのであろうか。そしてそのためには、これまで同じ過ちを繰り返して来た人間と社会の双方をしっかり見据えなければならない。

例えば東洋にも西洋にも、私たちが求め続けて来た人間及び社会を計る価値基準に、「真善美」という理念がある。そこで上に述べたことから少々迂遠なことにはなるが、まず手始めに、これらについて、私なりに検証を試みてみたいと思う。

一、「真」について

これまで人は誰しも一度や二度は真実を求めようと真剣になったことがあろう。ところがその入口に辿りつくことさえ容易ではない。例えば飽くまで真実を突き止め、追求し続けようとすれば、己自身であれ、社会であれ、厚い壁に突き当たる。自身の問題は取りあえずおくとして（?）、それによって不都合や不利益を被る人たちや集団がいずれ現れて、必死に「事実」を隠蔽しようとする。人が敢えてその「真」を白日の下に晒そうとすれば、たとえその者が昨日の友・仲間であっても、これを密かに、あるいは公然と抹殺しようと計るのが常である。こうして何らかの社会的権力を持つ者、あるいはそこに依拠する者は、例外なく、あの手この手を使って自分たちの利益・立場・権益を必死に守ろうとするのが世の常と言わなければならない。

例えば報道写真家、福島菊次郎は反骨を貫いた人で知られる。彼はそのために家を放火で失い、暴漢にも襲われるが、怯（ひる）むことなく、権力に阿（おもね）ることなく、国家権力の「嘘」を炙り出したし、九〇歳を超えた今も辛抱強く暴き続けている。彼は今や例外中の例外とも言えるフォトジャーナリストである。彼は次のように言っている。

「戦時中も大本営の嘘、戦後も政治の嘘、日本は嘘のかたまり。子どもが自殺した時も教師や校長、教育委員会に真実を感じる人は誰もいない。本当のことを言わなくなった国は恐ろしい」

また、「現代の市民運動に問われているのは、勝てなくても抵抗して未来のために一粒の種でもいいから蒔こうとするのか、逃げて再び同じ過ちを繰り返すのかの二者択一だけである」と。

もとより菊次郎一人だけではない。表に見えるものだけでなく、その裏に潜む真実を読み取り、暴こうとする知識人・文化人も数は少ないが確かに存在する。しかし体制に靡（なび）くか、自分のことしか考えない知識人や文化人の方が圧倒的に多い。だから、少数の良心的で勇気のある知識人や小さな市民集団は、大きな力を持つ組織に対抗して闘うことは容易ではない。また日々生活に追われる多くの国民・市民には、真実を追求する貴重な社会の少数者（マイノリティ）に賛同し、共に行動する気力と根性を持ち続けることはなかなか難しい。彼ら少数者は長い時間をかけて国民・市民を説得して、運動を組織し、持続的に動かして行くだけの金も力も余裕もないからだ。だから抗議デモという形で少数者と共に、粘り強く闘う人たちが仮にいても、多くの国民や市民は生活に追われ、いつしか日常生活に戻って往かざるをえないことになる。

こうして時の経過と共に、大きな政治的経済的権力を持つ者たちは、その時を待っていたかのように、その金と力を動員して世論を操り、多くの国民・市民の方も、半信半疑ながらもこれに追随していく結果となる。どうやらこれが悲しいことだが、これまで人類の歴史が繰り返して来た偽らざる現実であるように思えてならない。私自身も当然その責任を免れることは出来ない。だから決して諦めるわけにはいかないが、見通しが立っているわけでもないのだ。

二、「美」について

次に人は美しいものが好きである。それを追求し、手に入れようとする。そのこと自体人間の本能であり、良いことでもあり、生きる上での欠かせない力である。しかし美しいものには、例えば薔薇の花のように、手に入れようと近づくと棘(とげ)が容赦なく逆襲してくる。

確かに自然は美しい。例えば日本人にとって富士山はその美の象徴である。また宗教心をも喚起する。「万葉集」に富士山を謳った山部赤人の有名な短歌がある。

田子の浦ゆ　うち出でてみれば　真白にぞ　富士の高嶺に　雪は降りける

誰もが知っている名歌だ。多くの現代人は、この短歌を通して、白雪を頂く美しい姿をそこに見る。また尊崇の念さえ掻き立てられる。しかし歌の読み方は、多様である。富士山は単に美しいだけではないのだ。数百年ごとに大噴火を繰り返してきた活火山でもあるのだ。万葉集の短歌には、長い前口上があって、その反歌として詠まれる。この短歌にも前口上があり、またそれほど有名でない別の歌人、高橋虫麻呂の富士山を読んだ短歌にも前口上がある。この方はより率直にリアルな存在としての富士山を語っている。それを読めば、誰しも富士山が駿河から東京湾までの空を黒雲で覆い尽くし、動植物を焼き尽くす恐ろしい火山として恐れられていたことを知ることになる。

つまり山部赤人の短歌が、当時船を浦から漕ぎ出し、おそるおそる富士山を見て、「この恐れ山で知られる山が今日もしっかり雪に覆われているから、安心して漁に出かけられるぞ」という漁師の気持ちで歌われていることが分かるのだ。富士山の大噴火を彼らが身をもって経験したか、あるいは語り継がれて来た話を聞いた彼らにとって、この短歌が語る心はごく自然なことだったのである。

確かに季節ごとに咲く花々も陽に映える緑の木々も美しいいし、小川のせせらぎは心を惹きつけ癒して止まない。また遠くに仰ぎ見る雪に覆われた山々は、目に美しく映るだけでなく、遥かに望む気高い存在である。考えてみれば、もともと自然の子である人間にとって、自然は命の源であり、心のふる里なのだ。しかしその「母なる自然」が時として人間に襲いかかることもしばしばである。自然を愛でることも大事だが、自然を畏怖することも忘れてはならない。人間が自然を思うままに利用し操れると思い込むことは、篤と戒めねばならないであろう。

今に例えれば、原発はまさに神の禁じ手ではなかったのか。ギリシャ神話には、天上の火を盗んで人間に与えたとして全能の神ゼウスの怒りを買い、コーカサスの山に鎖で繋がれ、大鷲にその肝臓を啄まれた神プロメテウスのエピソードがある。最近アメリカでロボットコンクールがあったが、そのアメリカで、「人間が作ったロボットが逆に人間を支配する時が来る。その日も遠くない」と警告する学者が現れ、その著書が一〇〇万部のベストセラーを記録している（James Barrat: “Our final Invention: Artificial Intelligence and the End of Human Era” 2013）。彼は「人工頭脳」を、原発に次ぐ「第二の核」の問題だとも述べている。

かつてパリでお世話になったパンシオン・ファミーユ（ムロン夫人が経営する家族的な下宿）で食事だけここで利用する牧師が、ある日、「日本の絵（掛け軸などに見られる山水画）はどうして人間が居るか居ないか分からないぐらい小さく描かれているのか。人間が自然を支配しているのであって、自然の主人公こそが人間ではないのか」と筆者に迫るように問いかけて来たことが思い出される。彼はキリスト教に帰依する迷える信者だけでなく、その信徒を導くべき人間である。その彼にしてこう主張したのである。「目から鱗」であった。一牧師が、まだ何も分かっていない若い東洋からの留学生に、「フランス近代とは何か」、その真髄を、見事に明かしてくれたのである。ルソーの「自然に帰れ」から一〇〇年、フランス近代の歴史をソルボンヌの教室で大学教授から事細かに学ぶまでもなかったと言えるかもしれない。

ヴェルサイユ宮殿の綺麗に刈り込まれた庭園の風景が思い出される。一九世紀半ばを生きたボードレールが美の世界を「人口楽園」と称し、その詩集を「悪の華」と命名したことも納得がいく。また西欧近代絵画では、人物画や自然の風景から次第に人間の手が加えられ、マチスでは色彩の様式化が、ピカソに至っては美女が木片のように分解され、組み立てられる始末である。シュールレアリズムからさらに抽象絵画へと展開して行ったのも必然の成り行きであり、誰よりも時代・社会の変容を敏感に感じ取り、先取りせざるを得ない画家の本能の業だと理解できる。もはや自然を愛でて、心安らぐ余裕が失せた世界である。フランス人の好む“petite invention”も部屋の片隅や狭い窓辺に僅かに息づいているに過ぎない。

美を感じ取るのは確かに人間の主観であり、人それぞれの在り様に依存している。しかしどうやら近代社会以降、その本質は大きく変わりつつあるように思う。機能美や様式美の方が好まれ、尊重されるようになって来ている。近代社会が人間一人ひとりにそう求めている結果なのかもしれない。

（二〇一五年八月三一日）

「普遍主義」と「相対主義」について

一

私が日頃愛読している“Le monde diplomatique”の二〇〇四年一二月号に、同年一一月に英国学士院のマルクス主義歴史学のセミナーで行った、エリック・ホブズボームの『歴史学宣言』が掲載された。そこで彼は、今日歴史学が直面している危機に触れて、次のように述べている。

「方法論の観点からして大の弊害は、歴史において生じたこと、ないしは生じつつあること、これらの事実を観察し、理解する能力との間に壁ができてしまったことである。この壁を作り出したものは客観的な現実が存在することの否定である」

しかし問題は、その客観的なる事実をいかにして事実に即して、しかもトータルに調査し、整理し、記録し、分析し、理解するかである。

さらにボブズボームは、「今日の歴史学に差し迫る第一の政治的危機は〝反普遍主義〟である」

と述べ、文化相対主義による事実の歪曲を批判している。確かに、ハンチントンの『文明の衝突』などに見られる文化文明論を利用した政治学の歪曲は認めなければならない。しかし今日ほど諸文化諸文明間の違いの認識と理解、そして対話を通しての異文化異文明の共存が重要な時代はない。それが紛れもない今日の歴史的現実ではあるまいか。

今から五〇年近く前に、加藤周一は、「日本的なもの」と題する論考で、「普遍的価値の実現は、非個性的な表現を通してではなく、個性的な表現を通してでしかありえない」と述べている。しかし、政治や経済の世界では、それが逆転する現象がしばしば起こる。

二

したがって「普遍的なもの」（事実であれ、価値であれ）を追求することと、それを追求する方法が一つしかないと考えることと、さらに自己と他者、また自然的存在と文化的生産物を含め、「現実」が普遍的であり、そう在（あ）らしめねばならないと考えることとは違うという理解が必要である。なぜなら仮にそのように主張する者に対して、普遍的な価値の実現をめざすことを認めるならば、「普遍主義」の名の下に自己のイデオロギーないし政治システムを絶対化して、他者ないし他民族・他国家、さらには世界を支配することを許すことになろう。

例えば、ブッシュ政権の戦争政治と自爆テロとを考えてみると、そこには共通の思考回路が存在していることが分かる。つまりイスラム原理主義者とキリスト教右派＝キリスト教原理主義者は、いずれも彼らが予め一神教の神によって決定されていると主張する「普遍性」、あるいは「普遍主義」の名の下で、自己の行為を絶対化し、正当化するわけである。ブッシュの"Are you with America, or not ?" "Are you a good man, or an evil ?" という形での脅迫も、自爆テロ者に対する「天国の道」への恩寵も、同断である。そこには、ゲルマン的価値を絶対化して、ジェノサイドを実行した忌まわしいナチズムを想起させるものがある。

三

では「普遍主義」から批判される「文化相対主義」はどうか。目を日本に転じて、近代日本論・日本文化論を例に考えてみよう。

上記の加藤周一に、「日本の小さな希望としての」日本文化の「雑種性」があり、丸山眞男に、日本「タコつぼ社会」論がある。文化社会学等で使われるコンセプトを用いてやや単純化すると、以下のように整理できる。

「雑種文化社会」（加藤）→異文化融合→メルティング・ポット
「雑居文化社会」（丸山）→異文化共存→サラダ・ボール

加藤は「そうあるべきもの」として、丸山は「現実」として、日本の近代文化および社会を論じている。今日、国境や人種・民族を超えて異文化異文明が行き交い、あるいは衝突している状況を視野に入れると、確かに異文化異文明の共存、すなわち「サラダ・ボール」論が当面の課題であろう。つまり異種の独立した存在が背中合わせであれ、離れ離れであれ、一つのボールのなかで共存できているということが重要なのである。しかし今日の「一人勝ち」を許す「自由主義市場経済」の現実は、一つのボールの中で、ある特殊な存在が他の存在を隅に追いやり、一つのボールをほとんど独り占めにしかねない状況がある。

また、このグローバル時代に、仮に異文化異文明が相互に行き交い、交じり合って、一つの新しい「雑種文化社会」が生まれれば、地域社会であれ、国際社会であれ、ハンチントンの言う「文明の衝突」という名のテロも戦争も回避できるのではないかという期待も強く存在する。

しかし希望としての「異文化融合」が実現できるとしても、その内容は私たちが望むようなメルティング・ポットではない可能性もある。なぜならメルティング・ポット用の鍋の種類も中身も味付けも、例えば「自由と民主主義」の実現という名の下で、「力は正義なり（Might is right）」で、ネオコン流融合が達成される可能性があるからである。もっとも可能性はあっても、それが、地球規模で達成されることは現実には少ないであろう。なぜなら、このような鍋も料理もあるいはスープも、いくら力を背景に「品質高く美味しい」と宣伝してみても、それを受容する側にそれを良しとして賞味する準備が出来ていないからである。

つまり議論としては一見融合・共生が可能な雑種文化＝メルティング・ポット論もサラダ・ボール論同様、現実には克服すべき課題と条件が少なくないのである。したがって、初めの議論に戻ると、「普遍主義」の立場に立つか「相対主義」の立場に立つかという議論は、議論のための議論という側面をもっていて、それに固執し過ぎると、不毛な議論に終始しかねない。

私たちは、つねに現実に立ち返り、それと対峙することによって、私たちの思考を鍛える、あるいは私たちが目指す「希望」のシナリオに向けて、具体的な戦略なり政策なりを提示することの方が重要だと考えるのである。

人生の終わりを心豊かに生きる

――〝老病死生〟こそ人生の醍醐味――

一、「知の巨人」が死を迎えて辿りついた道

三年程前のことだが、筆者の恩師の一人が、「知の巨人往く」と新聞に書き立てられた。しかし、生前親しく接した編集者や評論家が近頃一致して、むしろ彼は「理」に徹すると同時に「情」にも篤い人だったと述べている。事実この「知の巨人」の代表作は『日本文学史序説』であり、『日本美術の心とかたち』である。詩や文学・思想への分析や理解は正確で、時代社会の背景との整合性をバランスよく的確に捉えている。一方、芸術作品への関心は、時代社会を超えて広く、その真贋を見抜く目は鋭く、作品への愛情は熱く深い。

これを以てすれば、彼が生前一貫して「理」に徹し、「情」に篤かったことが分かる。そこで筆者が関心を持つのが、晩年特に彼が追求しようとした「論理整合性」と「超越的思考」との統一の

問題である。結果としては実を結ばぬまま、晩年親友の戦死への思いからか、「苦手なんですよ」と吐露した「平和」活動に参加する一方で、近づく死期への自覚が「入信」へと舵を切らせた。つまり「論理整合性」では捉えられない「超越的存在」に身を委ねざるをえなかったと言えよう。

彼の後半生の伴侶は「最後の何カ月かは彼が彼で無くなって行くのが辛かった」と述べた。生前彼は「宇宙に終わりがあるように、人生にも終わりがある」と自ら吐露してみせたが、その「死」という現実を迎えることの難しさを身を以て経験したということなのであろうか。戦乱や災害に遭って死ぬのも「死」であるし、自ら「死」を選ぶのも人の死である。またのた打ち回って死ぬのも「人」の死であるし、三〇秒か一分「うっ」と言って往くのも人の「死」である。どちらが「人間」らしい死に方かは一概には断じられないだろう。

いま一つ恩師の晩年について思うことがある。それは放送の連続講座で語り、また自分のライフワークとして完成したかったに違いない「鷗外・茂吉・杢太郎」論である。医者であると同時に詩人・作家として生きた三人が、何を考え、何をして、どう生きたかが、自分の生き様と重なるからであろう。三人を書くことが同時に自分を書くことに繋がると考えた、あるいはその三人の生き様と自分の生き様との微妙な違いが自分を浮き出させてくれると考えたからではあるまいか。筆者は、もとより己の良心に従った反戦平和への熱情に深い敬意を払うものではあるが、敢えて言えば、そのことによりも、恩師本来の、彼にしか語れなかったであろうライフワークにこそ、最後の心血を注いでほしかったと思う。

そこからこそ、「老病死」の後に、「生」のまことの意味を悟ったと言われる古代インドの釈迦にも通じる道が見いだせたのではないか。また「受洗」とは違う形で、念願の「論理整合性」と「超越的思考」とを一致させる道を発見出来たと言えないであろうか。もとより釈迦の例に拘る必要はない。キリスト教学の権威をして、「イエス・キリストの生涯とその言動について、あれほど深く掘り下げた人は他にいない」と言わしめた加藤であったが故に、「入信」への悟りの道を、私たち凡人にも指し示してほしかった。今この重い宿題が私たちに残されたままである。残念の極みとしか言いようがない。

二、ひと様々な「死」の生き方

「死」を迎えて、どう生きるかは恩師一人の問題ではない。いま近づく「老病死」を前にしての「生き方」をめぐる、いささか遣(や)り切れない話が、筆者の周囲に溢れている。齢八十に近づけば、多くの人は足腰が衰え、歩けなくなり、あるいは惚(ぼ)けて「濡れ落ち葉」となり、車椅子を押され、やがて時を経ずして姿を消していく。しかしその一方で、なかなか死なせてくれないケースも増えている。一度入院すれば万事窮すとでも言うべきか。輻輳した点滴から始まって、咽喉(のど)を切開しての人工呼吸、鼻からの栄養剤注入、果ては胃瘻（いろう）（腹の横から穴を開けての注入）へと際限がない。

空気の澄んだ田舎での独り暮らしを楽しんでいた同僚の母親が、ある日突然庭で倒れた。「今から考えるとそのまま逝った方が」と後に彼は嘆息した。当時たまたま庭に面した道を通りかかった隣人に発見され、一命を取り留める。しかし後遺症は厳しく、都会に住む長男に引き取られた母親は、次第に意識が薄れ行く。そうして十数年間を、回復する見込みが立たないまま、病院を転々とした。その合間に家に引き取り、息子自身が老いた母親の下の始末までする機会を得て、最後の孝行を果たしたと言う。しかし意識がほとんどない母親自身は、たとえ死にたくとも死ぬことが許されない。最後は胃瘻にまで至ってやっと死途に着いた。息子は今になって「母親は早くあの世へ送ってほしいと願っていたに違いない」と言う。しかしこれら一連の科学療法を拒めば、「では退院して下さい」と迫られる。ほとんど脅迫だったと同僚は言った。

今ひとりの同僚は昨年がんで逝った。がんの場合も同様で、彼は手術後、入退院を繰り返し、最後は例に漏れず、抗がん剤投与を受けた。しかしワンセット三回の最初の投与で、一カ月の休養が与えられたが、すっかり体力を消耗し、再度入院したが、二回目の投与を受けることなく、逝った。彼の場合は、がん治療が延命に結びつかずに、却って死期を早めたケースだったと思われるが、医師自身もこういうケースが圧倒的に多いと言う。彼は若い時に肺結核に罹り、肺切除の手術を受け、おそらくその時に受けた輸血によると思われるB型肝炎ウイルスを体内に持ち、それが後に肝炎を発症させ、歳と共に症状は進んだが、それでも彼は健気にも定年まで働き、七五歳まで頑張って生きた。

しかし彼の伴侶は「先生にだけは言わせて下さい」と前置きして、「私のこの三〇年の人生は何だったのかと思わずにはいられないのです」とため息を漏らした。一方、夫である同僚の方も「がん保険」に入っていたが故に、親族も含め、決して安らかではない、無念で辛く悲しい死に方であった。あらためて科学技術医療の進歩と人のいのちの尊厳との真逆の関係を問わずにはいられなくなる。

三、何人にも訪れる「老病死」こそ人生最後の醍醐味

確かにまず「老」がやってくる。その時人は「老」によって自分の体が衰え、頭が惚けると考える。しかし人が「老いる」ことは必ずしもマイナスだけとは限らない。否むしろ「生業」から解放された「老」は、人生の決して落日などではない。人生で初めて手に入れることの出来る自由で晴れ晴れとした「生」である。それを活かさぬ方はないのだ。

ある成功した企業の会長の話だ。「お蔭で金は充分出来た。しかし、御馳走を食べようにも食欲がついて行かない、可愛い女子(おなご)を抱きたくても男になれない、豪華旅行に誘われても何が面白いの

かがよく分からない、酒を飲んで楽しもうにも誘う相手もいない」と嘆いたと言う。では慈善事業に寄付したらと誘うと、長年培ってきた「守銭奴」魂は「爪を灯すようにして、大事に貯めたお金は、一円たりとも他人には渡せない」と嘯く。この人はこれまでいったい何のためにせっせと働いて来たのか。人の人生観は様々であるから、それはそれで他人が口を差し挟むことでもあるまいが、聴けば聴くほどに、まことに報われない、哀れな「老病死生」の人生としか言いようがない。

さてこれに反し、世の多くのビジネスマンたちの老後はどうであろうか。こちらの方は、哀れというか、気の毒と言うべき例が少なくないようだ。これまでの常識的日常から解放されたものの、急に訪れた有難いはずの非日常が馴染めない。長い間連れ添った伴侶も想定外の話のようだ。老齢化に社会が対応出来ていないことも大きいかもしれない。しかしこれまで自分の内に蓄積してきた経験と教養、その文化力は決して半端ではないはずだ。自分の老後の生を人生最後のチャンスと捉え、自分に相応しく心豊かに生きる道を、是非身につけてほしいものだ。

釈迦の「仏法」は凡人には実践するに厳しい。何時の時代にも巡りくる一五世紀の「乱世」を生きた大徳寺の反逆僧、一休宗純は、「花とむすんで、一〇年生きて、まだまだ飽きない、同じはなし。さらば、さらばと、美人の膝に、夜がふけゆく、来世は雨か」と詠み、盲目の森女の膝の上で逝ったと言う。かれ本懐の見事な「老病死生」の生き方と言えまいか。

また孔子が説いた「仁」のまことの実践者は、後の「世」にその教えを活かした賢者などではなく、孔子より以前の時代を生きた、堯・舜・禹の聖者であると言う。因みに筆者の好みを言わせて頂くなら、孔子が最初に門を叩いたと言われる老子の言葉のなかの、わけても「無用の用」が心に染み入る。

これまで我こそ「役に立つ」と嘯いて来た政治経済学者たちが、この後戻りの出来ない「迷走」の「世」を招いた一人なのだから、今度こそ「無用者」と言われ続けた私たち「文化」を愛する者が、世俗の垢を削ぎ落とし、仮に悲しみ暮れる人来れば、共に涙し、助けを求める人あれば、物も金も、あるいは場合によっては命さえすすんで与えようではないか。この醍醐味こそ人生の宝ではないか！

人の老いは二〇歳から始まると言う。老いれば病を得ることもあるだろう。その時は「迎えの時来たる」と心得、納得することだ。「病」もそれとして受け入れようではないか。私たち凡人にとっては、それからが生きがいのあるまことの「生」と心得ようではないか。「死後」をあれこれ詮索しても埒の明く話ではない。むしろ、この「老病死生」を生きるための「秘薬」を自ら発見し、用意しようではないか。それは人さまざまであって良いのだと思うが、すでに古今東西の先人がその例をさまざまに示している。

またいよいよ「死期」が近づいた時は、日進月歩を繰り返してきたと言われる「科学技術医療」のお世話をご遠慮申し上げ、出来ればじたばた苦しみもがくことのないように、そのために各自が自ら用意した「秘薬」を、あるいはそれで足らぬのであれば、その時だけは「麻薬」のお世話になろうではないか。そして残された一日一日を、あるいはひと時ひと時を、秋ならば「空を行く雲」を眺め、冬なれば傾いた陽に映える「枯れ枝」の風情をしみじみ味わいつつ、心静かに「死」に着きたい。それこそ人生最後の極楽浄土でないであろうか。

（二〇一二年一月）

II

評論・講演

文化が、社会を変え、政治を変え、世界を変える

一、近代社会はなぜ行き詰まったのか

西欧近代の外圧を契機に採用して来た日本近代化一五〇年の歩みは、戦後知識人を代表する丸山眞男や加藤周一の指摘のように、一口で言えば失敗の歴史と言えよう。確かに戦後日本社会は、「朝鮮戦争」特需に押し上げられて「戦後復興」を成し遂げ、第二次産業革命と言われる六〇年代半ばに始まる石油化学の発展は、「ベトナム戦争」特需と「禁じ手」と言われた赤字国債導入にも助けられ、八〇年代には「ナンバーワン経済」と持ち上げられた。原子力発電所も急速に地震大国日本列島の各地に次々と導入され、八八年に「国際国家日本」を謳歌するほどに経済成長を遂げた。また公害も外国に輸出されることでいつしか忘れられ、バブル崩壊後も「科学技術立国」に未来を託してきた。

一昨年恩師の一人が八八歳で胃がんで逝った。見舞ったとき聞いた話が思い出される。点滴を受

けながら恩師は、抗がん剤と点滴に使われたプラスティック容器が化学反応を起こして、良からぬ物質を創る可能性を看護師に懸命に説いたという。死を直前にしてのこの執念には鬼気迫るものがある。恩師は有機合成化学の一廉（ひとかど）の専門家として周囲の尊敬を集めた。かつて「公害は化学の失敗」だと筆者に吐露した恩師は、死の直前まで有機合成化学の真摯な専門家であり続けたと言える。彼を見舞って、「お前こそノーベル化学賞をもらうべきだった」と述べた彼の親友は、その後、有力企業の顧問として、日本原発のベトナム輸出に一役買ったと聞く。

一九世紀の産業革命に決定的影響を与えた蒸気機関の発明、化学者が発明したニトログリセリンを応用したアルフレッド・ノーベルの決定的な火力の発明など、その後、産業革命を次々に推進し、二〇世紀世界の経済社会を飛躍的発展に導いた科学技術の真髄が、有機合成化学と原子物理学だったことは言うまでもないであろう。筆者の手元に送られてきた『科学者への公開書簡』（マチウ・カラーム著）の推薦文に、アメリカ南北戦争の雌雄を決した「シローの激戦」（テネシー州南西部）を見聞したヘンリー・アダムスが、戦闘終結の翌日、一八六二年四月一一日に行ったコメントが次のように紹介されている。

「これから数世紀にわたり、科学が人間を支配することになる。そしていつの日か人類は地球を破壊し、自滅するに至るであろう」と。

二、現代世界を転換させる知恵

しかし、東日本大震災後、これまで疑うことを知らなかった「文明」の進歩に、やっと疑問の目が向けられ始めている。事実、科学技術の進歩を梃に欧米が主導してきた政治経済が大きな岐路に立たされている。そして今やっと、そのルーツを探り、西欧近代化の功罪を根本から問い直そうとする研究グループもあちこちで動き出した。

「文明」の進歩にばかり目を奪われてきた私たちは、日本の自然と大地と共に育んできたコミュニティが持つ知恵と力に、今一度日本社会再生の可能性を求めるべきではないのか。震災直後から国際ボランティア活動を続ける友人の一人は、開発半ばと言われて来た東南アジアの農漁村にこそ、祖父母から孫までが共に汗を流して生きる堅固なコミュニティが健在なのだと言う。

世界の政治経済を主導してきた欧米社会はもとより、ＢＲＩＣＳと言われる新興大国をはじめ、新たに台頭してきているイスラム諸国もこの荒波を超えて希望の新大陸（？）に辿り着くことは容易ではない。例えば、中国はＧＤＰ世界第二位に浮上する一方で、国内では格差と人権問題を抱え、南シナ海ではベトナム・フィリピンなど東南アジア諸国と海洋利権を巡って緊張を高めている。また中国に次いで欧米諸国が期待するインドも、中国以上に格差・貧困問題をはじめ、民族・宗教対立の危うさを抱えている。それだけではない。最近ムンバイ南方四〇〇キロの自然豊かな海浜地域へのフランス国営企業アレバ社の原発誘致を巡って、地域住民への弾圧を強め、国際世論の批判に晒されている（Le Monde Diplomatique, 二〇一一年四月）。つまり欧米のマーケットが期待する新興大国も、かつて彼らが歩んだ危うい開発路線を必死に追う姿勢が目立っているのだ。

いったい私たちは、アジアもアフリカもユーラシアも欧米大陸もこれから何処に向かい、何処に辿り着こうとしているのか。その進路を示す海図さえ共々持てないでいる。政治権力・行政機構・大資本を動かし、世界を牽引する指導者の名前や国籍は変わっても、基本的な社会システムや価値パラダイムが変わらない限り、これまでのような政治経済文化に私たちの未来を託すことが果たして出来るであろうか。

三、思考回路を逆転させる

今多くの若者やシニアが東北の被災地でボランティア活動の中心になって汗を流していると聞く。神戸の教訓が生かされているのかも知れない。あるいはこれまでにない無償の労働を経験しているのかも知れない。しかしこの自ら進んで選んだ行為は、他人のためだけにやることなのか。そうではなくて、その「無償行為」そのものが、彼らに限らず人が生きて行く上で、その人にとっての貴重な糧となるのではないか。

宮沢賢治に、「雨ニモマケズ、風ニモマケズ……東ニ病気ノコドモアレバ、行ッテ看病シテヤリ、西ニツカレタ母アレバ、行ッテソノ稲ノ束ヲ負ヒ」のように労をいとわず手助けをし、「ミンナニデクノボートヨバレ、ホメラレモセズ、クニモサレズ」という詩がある。賢治はその〝木偶の坊(でくのぼう)〟になりたいと言う。法華経やキリスト教の影響を受けたことが、賢治の言動に深く影響したと言われている。江戸時代後期には「無償の生き方」を信条とした「妙好人」と呼ばれる市井の信仰者が尊敬を集めたとも言われる。今の政治家や企業経営者に是非聞かせたい話だ。

東日本災害への支援にひととき熱意を見せたアメリカもその一方で、九・一一への報復を未だに止めることが出来ないでいる。原爆に見舞われた日本も三五〇万人の人命を失ったベトナムもアメリカを許したのではなかったのか。報復の連鎖が何をもたらすか、もう充分に知ったのではなかったのか。報復をではなく、無償の善意が、愛が、人の心を動かし、国をも動かすということではないのか。

何年か前、あるジャーナリストが日本の現状を憂えて、「日本には御用学者と無用学者しかいない」と指弾した。これまで日本の近代化に貢献して来た社会科学者が立ち往生している。よく知られている例で言えば、ダーウィンの『種の起源』を悪用した一連の「社会進化論」である。宗教界をも巻き込んで流布して行ったその基本には「神」に成り代わった「人間」の「自然支配」の信奉がある。「適者生存＝弱肉強食」は論外であるが、例えばウェーバーが『プロテスタンティズムの倫理と資本主義の精神』（一九〇四〜五年）で展開した理論がある。彼は禁欲的労働に励むことによって社会に貢献し、自分も救われるばかりか、蓄えられた資本は浪費されることなく、再び社会の発展に寄与するという独特の論理を発明した。ウェーバー自身はその後思想的に破綻するが、資本主義社会の方は多大の人命を人質に大いに隆盛を誇示して来たと言えよう。

またアメリカのウィリアム・ジェイムズが『プラグマティズム』（一九〇七年）で展開した「実用主義」の思想は、アメリカだけでなく、二〇世紀社会に少なからぬ影響を与えた。近代日本では、福沢諭吉の『学問のすすめ』がそれまでの教養的文化力に代わる実用的学問の推進を提言したことは周知の事実である。しかし政治経済力ばかりが強くなって、本来の文化力の方が弱められたことが今日の地球規模の危機をもたらしたと言わなければならない。

つまり今日、閉塞状況のなかで行き場を見失った私たちにとって大事なことは、近代経済社会の発展に寄与してきたと言われる「役に立つ」学問をではなく、その限界を見据えた経済社会の「脱成長」（Dećroissannce）のための、これまではむしろ「無用の用」と言われてきた「文化」をして、その知恵と力を積極的に発揮せしめることである。因みにレヴィ＝ストロースが、一九五二年の『人種と歴史』（Race et histoire）や一九六二年の『野生の思考』（La penseé sauvage）において展開した議論を逆手に取って言えば、千年、五千年単位で徐々に培われ、引き継がれて来た「文化」という「強靭な歴史」と、高々百年、三百年単位でスピーディに造られては脆くも壊れていく「政治経済」という「脆弱な歴史」とに峻別して現代を捉えることである。長い年月を経て鍛えられながら、今見失われかけている「文化」こそが、私たちがこれから生きる二一世紀社会に、「奪われた未来」を取り戻し、甦らせてくれる知恵になるのだと思う。フランス社会が、個においても国や集団においても文化への比重を一貫して高めて来たことを知っておきたい。

つまり「文化が、社会を変え、政治を変え、世界を変える」という、これまでとは違う視点と価値観と責任感で私たち一人ひとりが自らに問う、試練と同時に希望の時代が来たのだと受け止めるべきなのである。

四、大地に根を張った文化を甦らせる

(一) 自然がもつ文化力を活かす

例えば、「雲は天才である」と啄木は言った。朱雲や夕日に照らされた竹林が光となって燃える時、自分がそれと一体となり、至福の時を迎えることもある。「人工楽園」の美を歌ったボードレールさえ、その一方で、自らを「異邦人」と称する詩編で、「この世の何よりも空を流れるあの雲が愛しい」と吐露する。彼らはそこに自分の命のルーツとしての美を見ているのかも知れない。

それとはやや対照的な例になるが、仕事で疲れた帰路に、都会の片隅の街路樹の根元のわずかな土くれ石くれに言いようのない親近感を覚え、自分の生命と土くれとの境界が取れて一つとなることがある。これらが日頃どこかに置き忘れてしまった自分の命のルーツを呼び覚ましてくれたのかも知れない。しかし多くの場合、私たちはこのまたとないチャンスをやり過ごしてしまう。

(二) 近代経済システムの変革に挑戦する文化力

例えば、サルトルが一目置いていた作家ポール・ニザンは、エリート学者の道を約束されながら、「世」の理不尽を正す道との狭間で悩み抜き、アフリカへの旅に出る。帰って来て発表したのが、「ぼくは二〇歳だった」で始まる『アデン・アラビア』(一九三二年)である。外国から見る祖国フランスの余りの醜態に衝撃を受け、彼は社会活動に身を投じ、作家の道を選ぶ。『番犬』など相次いで作品を発表し、三五歳で戦死するまで、社会の不正を告発し続けた。以来『アデン・アラビア』は当時の若者たちの言わば「導きの書」となった。

それから三〇余年後の一九六四年、セネガルの作家・映画監督センベーヌ・ウスマンは、ドゴールの「援助と協力」という名の新植民地主義政策を告発する小説『熱風』を発表する。そこには女主人公が愛する夫と別れ、最も困難が予想される僻地での任務を進んで引き受ける感動的場面がある。アフリカでは生活でも労働でも、昔も今も女性は決して「第二の性」＝「弱き性」ではないことを教えている。もとよりこれらは、ほんの一例に過ぎない。

(三) 周辺にこそ豊かな知恵を持つ文化力がある

このように、逆境や岐路に立たされた時の経験が素地となって、優れた文学・芸術や思想・哲学が結実し、それらが私たちの心を呼び覚まし、揺り動かし、あるいは行動へと駆り立てることがある。しかしこのような文化力を私たちは自分たちの足元に持ちながら、気が付かないまま見過ごしてしまうのだ。

これも一例だが、明治政府による併合、アメリカによる占領、再び日本への併合と受難の長い歴史を歩んできた沖縄は、実は元々大国中国や日本の文化を取り入れつつ独自のチャンプルー(混成)文化を培い花咲かせ、その文化力と巧みな外交力を発揮して一三世紀から一九世紀末までの四五〇年間独立を維持した首里・琉球王国であった。そのほんの一例だが、一六世紀半ばに古代歌謡集「おもろそうし」が編まれた。その研究の始祖・伊波普猷(いはふゆう)(一八七六〜一九四七年)は、「深く掘れ、己が胸中の泉を」という力強い言葉を残している。

いまひとつ、最近メディアを賑わせている中東アラブの民主化の動き。そこで決定的な役割を果たしているのが、彼らが古き昔から営々と引き継いできた文化的アイデンティティである。アラブと言えば、イスラムや石油のイメージが先行する。しかしアラブには、イスラム以前の遊牧民時代から今日に至るまで、一貫して引き継がれてきた詩的文化がある。

実はアラブの詩人は文字によってではなく、自ら大衆の前に立ち、巧みな身振りと声の響きを操って聴衆に語りかけるのである。現代アラブを代表する詩人アドニスが「魂の詩人」と自負する所以（ゆえん）もそこにある。今回のアラブ諸国の動きで、民衆が身振りを加え口々に訴えた詩的言語が人々の心を捉え、揺さぶり、それが大きな渦となって社会に広く深く広がり、それが国を動かし、国を変えたのである。

これまで述べて来たことから理解していただけるように、個人であれ国家であれ、今私たちにとって大事なことは、これら国や地域を超えて先人たちが残してくれた経験や文化から英知をくみ取り、それぞれの仕方で内在化し、自分自身の生き方や国のかじ取りのための知恵を紡ぎ出して、今に活かすことなのではないか。そして、このまたとない知恵や経験から生まれた文化力を互いに交換し合うことによって、本来の人間性が回復され、人間文化が実り、相互の人権を尊重し合う平和な社会や国や世界が、揺るぎないものとして築かれるのである。

（二〇一三年三月）

世界の動きと日本の可能性

※二〇一五年一〇月三日に京都駅前「メルパルク」七階スタジオ2にて行われた、GN21主催のフォーラム「歌とトークで迫るラテンアメリカの今―米国の孤立と裏庭のうごめき―」の記録を基に、編者及び出演者が加筆補填した記録集を、GN21のブックレットNo.3として発刊する予定でした。しかし出演者の予期せぬ発病撤退で実現出来ませんでした。以下の文章はその「まえがき」として執筆したものです。

グローバルネットワーク21が目指すもの

私たちグローバルネットワーク21（GN21）は、一九九七年発足前後から〝ワン・シーズン　ワン・セミナー〟を目途に、日本・アジア・アフリカ・欧米・ラテンアメリカなど世界の社会状況に幅広く焦点を当てて、各分野の専門家による現状分析を基に国際的かつ学際的な提言を行って来ました。それらは、まずは「NGOシリーズ」として、『文化・開発・NGO』(一九九四年一月初版一刷、二〇〇三年六刷)、『人類・開発・NGO』(一九九七年初版一刷、二〇〇三年二刷)を世に送り、そのあとを継いでは、一九九九年五月刊の『地球村の行方』を皮切りに、「人類再生シリーズ」として、一部割愛をしますが、第五集『ブラック・アテナ』(二〇〇七年初版、〇八年再版)、第六集『下からのグローバリゼーション』(二〇〇六年)、第七集『グローバル世紀への挑戦—文明再生の知恵—』(二〇一〇年)、第八集『私たちは二十二世紀を望めるのか』(二〇一三年、電子書籍版)と、その成果を単行本にまとめて世に問うて来ました。なかでも『文化・開発・NGO』は六刷、二〇〇七年刊の『ブラック・アテナ』は大部(六六八頁)で高価(税別六五〇〇円)な単行本ながら、二刷を記録するなど致しました。

書籍文化の衰退

しかしご承知のように最近の書籍文化状況は一段と厳しさを増しています。例えばこれはGN21シリーズではありませんが、片岡の四冊目の自著として二〇〇八年に文理閣のご厚意で出版した『現代文明と地球の行方』は一定の注目を得て、例えば東京八重洲口の書店に平積みされたものの、初版完売には至りませんでした。仮に「書評欄」で取り上げられても、いわゆる硬い傾向の本は初版一五〇〇部でも売りきるのは難しいのが日本の現状です。

日販・東販から毎日のように書店に配られる新刊本は多くとも、店頭に並んだ本を買う人は、今世紀に入ってから減少の一路を辿っています。その背景には、本の文化の衰退があります。欧米ほどではないとしても、電子書籍化による一定の影響が見られますが、いつのころからか学生たちは分厚い本を買わずに済まして、単位だけを首尾よくゲットするように変わって行きました。

それから二〇年、三〇年、四〇年、日本の大学数は、一九七〇年三八二校から、二〇一一年現在七八〇校と倍増して、若者のための門戸は広くなり、今ではネットで「Fランク」大学（誰でもフリーに入学できる大学の意）という言葉も囁かれ、もはや大学は教育・研究の場からモラトリアムを楽しむ若者広場に完全に変容したと言えます。大学の方も社会を背負う知的人材を育てることよりも、学生を多く集めて経営基盤を安定させ、新しい分野に投資して、互いに競い合う企業と化した感があります。大学院も大規模化し、博士課程を終えても研究職に就けるのは三割程度で、数年前東大博士がコンビニのアルバイトをしていたというエピソードまで話題になったことがあります。

また教育に携わる教員はと言えば、こちらもサラリーマン化して、今や「日本には御用学者か無用学者しかいない」（某新聞の論説欄）とまで言われる事態です。これらには現場の状況を詳らかに出来ない、あるいは現場を踏んでその実態を知ろうとしない行政側が机上で立てる施策も大きく関係しています。しかしここでは、日本の研究教育や大学の現状を取りあえずおいて、次に日本の若者の知的・文化的風土の一面に焦点をあててみたいと思います。

現代の若者たちの群像

先日大阪での所用の帰りに、堺町筋通りの昔懐かしい「でんでんタウン」に立ち寄ってみました。ところが表通りから家電量販店が大方姿を消し、人通りも少ない。一方、表通りから一筋西に入ると、一段と広くなった裏通りをリュックを背負って歩く二〇歳前後か、三〇代か、さらには四〇前後のいわゆる「オタク族」がぞろぞろと歩いている風景に出会いました。カップルの姿も見えますが、ほとんど一人です。土日はともかく平日など、学校に行くでもなく、働くでもなく、生気を失った彼らは、何を求めてか、只管(ただひたすら)この道をゆっくりと歩く。以前この裏通りにあった瀟洒な喫茶店は影を消しています。商売が成り立たないのでしょう。オタクが立ち寄る簡単な食べ物屋くらいしか見当たりません。噂には聞いていましたが、これには筆者も少々戸惑い、偶々(たまたま)出会った年配の地元の人に聞くと、今日は平日で少ない方だが、土日はこの通称「オタ・ロード」は溢れるばかりになるそうです。

この通りの正式名は後に「藤中橋筋（旧難波橋筋）」と分かりましたが、オタクが通る「オタ・ロード」の呼び名はそう呼ばれて久しく、地元の人も正式名をすっかり忘れてしまっている程です。

それにしても周辺に住む地元民にとっては、大いに迷惑千万な話で、何かと不満が鬱積しているらしいのです。ふと立ち寄った駐在所では、自治会のお世話役らしい人が何やら相談に来ていて、巡査も丁重に応じている。主要な話題は秋祭りの行事のことだったらしく、準備や当日の体制は、オタ・ロードを封鎖しての大がかりなものになるらしい。

さて、「オタク族」もそうですが、近頃電車で乗り合わせる大学生の態度や聞こえて来るおしゃべりの内容たるや、まるで小学生かと聞き紛（まご）うものです。いったい今の若者たちの精神年齢は何歳なのかと、考え込んでしまいます。GN21ブックレットNo.1では、世代間リレーの困難性、断絶の深さが話題になりましたが、あらためてこの一〇年、二〇年、いったい私たち日本の社会に何が起こったのでしょうか。オタク族の異常な広がり方、最近あちらこちらで見聞する大学生の幼稚化など、そして彼らが広めたとも言える今の日本の文化風土の変化。ある知り合いの女性は、「彼らをしっかりさせるためには、今の学校教育では無理で、お隣の韓国のように、強制的に自衛隊に放り込むしかない」と宣（のたま）う。俄かに賛成しかねるけれど、思わず襟を正して聞かざるを得ませんでした。しかし、聞けばその自衛隊も人手不足、特に前線で活躍する兵士の充足度は七四％にまで落ち込んでいて、しかもその彼らさえ、訓練が厳しければさっさと辞めて行くと言うのです。

しかしこのような現代社会の背景には日本の若年貧困率も無関係ではないでしょう。出生数が百万人程度減る一方で、子どもの貧困率が一六・三％に達し、三〇〇万人を超す子ども、つまり六人に一人の子どもが貧困にさらされています。それを一五歳に限定しないで若年層全体に広げると、経済生産率だけでも十数兆円の損失にもなるのです。それにつけても中東から西欧に飛び火して、多くの犠牲者を出したパリでの実行犯の多くが、普段は大人しい若者だったという話も気になります。社会背景は異なりますが、この種の内向きの学生や普段は大人しい若者も、東大博士の例のように、実は就活が苦手のようです。仮に彼らが近い将来貧困層の仲間入りをすれば、状況次第では過激派組織に取り込まれ兼ねないのです。事実、大阪の某大学の臨床心理学の先生は、「今の二〇代、三〇代、四〇代などの精神年齢は一〇歳引いて考えなさい」と言う。私たちの社会は、いったいいつから、またどうしてこういうことになってしまったのか？　政治の責任が如何に大きいか、また私たち戦後世代の責任も重いと言わなければなりません。

日本の政治的成熟度

時代を遡りますが、一九六八年のフランスで始まった通称「五月革命」が、翌年日本に飛び火してほぼ全国の大学で学園紛争が起き、それが過激化して、昨日までの仲間を「総括」と称して殺害した事件、「あさま山荘事件」、「東大時計台たてこもり事件」など悲惨な結果を招いたことはまだ記憶に新しいことです。なぜ日本で過激化したのか、その違いですが、フランスの場合は労働組合が参加して、むしろ彼らが主導する形で進められたからだと思います。

かつて私が日本の大学で経験したことですが、暴れた学生の中心に大企業の社長の御曹司がいたのです。親への反抗からなのか、普段ノンポリだった彼が突然目覚めたのかははっきりしませんでしたが、それで思い出されるのが、戦後占領軍に「日本人は政治的には一二歳、至って未熟だ」と指摘された私たちの社会風土がその背景に在るのかもしれません。今日本で「安全保障法制」に抗議するデモが報じられ、それを主導するシールズ（SEALDs = *Students Emergency Action for Liberal Democracy s*）の若者が話題になっています。労働組合が参加しているとは言えませんが、幸いにもそこには大人たちも多数参加しています。それで自制が働き、過激な暴走には至っていません。そこには著名な文化人も演壇に立って若者を鼓舞して、彼らの過激化を防ぎながら、社会的にはむしろ大きなアピール力になっています。こうした変化の一つひとつが日本の未来への小さな希望の灯りとなるかもしれません。

それにしても、この一一月五日付けの日経ウェブニュースの首相談話には、うすら寒い印象を感じました。そこには次のように記してあります。

「安倍首相は、二〇二〇年の東京五輪・パラリンピックの開催までに高速道路でも自動運転の実現を目指す考えを示した。さらに、三年以内に人工知能を医療現場で活用可能とする計画について、来春までに新たな指針を出すと説明し、それぞれ関係閣僚に具体化に向けた検討を指示した」

と。日本人が数十年前から繰り返して来た、「技術立国論」をあらためて強調したものと思われます。しかし、その具体的見通しはどうなのでしょうか。首相の二度にわたる「三本の矢」は今どうなっているのか、これからはどうなるのか、私にはどうも見えてきません。

また、最近「ドローン」が話題になりました。それを巡って世間は姦（かしま）しい限りです。その一つにこういうのがあります。ドローンを建設現場などの、いわゆる３Ｋ職場（きつい、汚い、危険の意）で、人間の代わりを担わせようという話です。そうなれば人間が身体を使う労働が少なくなり、もっと安心で楽な仕事に就けるということなのでしょう。確かにその限りでは、これに異論を唱える方は少ないと思います。しかし仮にそうなれば私たち人間の身体機能はどうなるのでしょうか。その方はスポーツ界に任せれば良いかもしれません。ですが、肉体労働が限りなく減少して行けば、かつてＳＦに登場したＥＴ君のように、私たちは頭だけ大きい宇宙人に出世するというか、変貌することに成りかねません。

戦後間もなく少年だった筆者が見たＳＦには、都会のビルの上を高速道路が走るこの世ならぬ風景が描き出されていました。当時の私たちはそれが将来現実のものとなるとは考えていませんでしたが、今では当たり前の都会の風景です。このようにＳＦは未来の想像図を描いては、それを現実化して来た歴史があります。ですから「ドローン」の実用化による人間のＥＴ化はかなり現実味のある話ではないでしょうか。そうなることで、私たちの生活は便利になるかもしれませんが、果たしてそれで私たちは生きとし生ける人間に相応しい生活が確保できるのでしょうか。また今の政治の貧困やテロの止まない格差社会から解放されるのでしょうか。そして、みんなが心豊かで幸せな生活を送ることになるのでしょうか。

しかしこれまで私たちは「便利さ」に慣れ親しんだが故に、それに倍する「矛盾」に悩まされて来たのではなかったでしょうか。そんなことで本当の自分を欺いてはなりません。ましてや人を巻き込んで、他人地獄へ突き進むようなことだけは避けねばなりません。

政治家の責任と国民の自覚

「ドローン」はさておき、首相が「人工知能」を医療現場に導入するという話をされましたが、果たして国際社会で今話題になっている学術的指摘を、首相やその周辺の方々はしっかり認識しておられるのでしょうか。その上で敢えてご自分独特の見解を披歴したのでしょうか。どうもそうとは思えません。企業から二億円を優に超える献金を集める首相特有の政治的スタンスで、きれいごとを並べたように見えてなりません。仮に首相が「技術立国論」を唱えるなら、今年一一月パリで開かれた地球温暖化対策会議ＣＯＰ21で注目された「再生可能エネルギー」に言及してほしかったと思います。

この会議ではアジアの大国インドが国家プロジェクトとして太陽光発電を立ち上げると表明しました。そして会議の開催国フランスの首相がすぐさまこのプロジェクトに資本提供を表明しましたし、その隣国スペインは日本のＧＤＰの半分にも満たない国ですが、まさにこの分野の先進国なのです。せめてこれらの国の例に学んでほしいと思いました。

実際エネルギー問題こそ日本が歴史的に抱えて来たアキレス腱ではなかったでしょうか。一九七四年、当時の首相田中角栄がロッキードに絡む汚職容疑で辞職を余儀なくされましたが、この裁判の背後には中国との国交回復を実現した上に、密かにエネルギー問題で独自の国際関係を構築しようとしていた田中を追い落としたかったアメリカの思惑があったことは、今や周知の事実と言えるでしょう。

こうした日本政治の闇であらためて思い起こすのが、二年前他界した女流作家、山崎豊子の一連の大作です。(注1) 例えば『白い巨塔』に次ぐ傑作に『華麗なる一族』があります。この作品は他の作品同様、映画化もされていますので、記憶されている方も少なくないと思います。戦後経済成長期の一九六〇年前後に世間を賑わせた企業や銀行などの合併を巡って展開する物語です。

彼女がこの作品を手掛けた頃、ちょうど日本は高度経済成長期に在って、政官財癒着の問題がしばしば話題になっていました。山崎豊子は予断を持たずに主題に迫り、根気よく徹底的に現場を取材してから筆を執ります。その徹底ぶりは他を寄せ付けないものがあって、それだけに彼女の作品世界には真に迫る力がありますが、それが彼女の小説の背景になっているのです。この作品は後に三冊に分けて文庫本化されていますが、そこで解説を担当したのが、評論家、青地晨（一九〇九～一九八四）です。かれは大要次のように述べています。

一代で鉄鋼業の基礎を作り上げ成功した父親の後を継いだ、万俵大介はさらに事業を発展させ、銀行経営まで手掛けるやり手である。彼は広大な邸内に秘書兼妾を正妻と同じ寝室に住まわせ、家族にも暗黙に認めさせて憚らない破廉恥な男である。しかも、その妾を使って次々と政略結婚を計り、長女を大蔵省のエリート官僚に嫁がせ、彼を利用してあれこれ画策し、ついに念願の〈小が大を食う〉銀行合併を成功させる。一方気に入らない長男を有らぬ疑念で自殺に追い込むという悲劇を生むが、それでも一向に恥じない悪人である。問題はこの悪人を助けて銀行合併を成功させた大蔵大臣が、その合併させた銀行を、今度は密かに大銀行に吸収させるという画策を練るのである。言わば悪人の上を行く大悪人である。なるほどこれほどの大悪人でなければ時の政府の要職（首相）には就けないということであろうか。

流石に辛口で知られたジャーナリストの切り口と言えましょう。もとよりここで今の日本の首相がそうだと強調したいのではありません。しかし権力を掌握し続ける政治家には、それ相応の強か（したた）な戦略と闇の力が求められるということではないでしょうか。そんな時にまたまた薬害問題です。一九八〇年代後半に裁判沙汰まで引き起こした薬害エイズ問題にも関わった生化研（化学及血清療法研究所、熊本市）が、国の承認と異なる方法で製品をつくっていた問題が明るみに出ました。四〇年にも及ぶ見過ごせない重大な違反事案です。流石に厚労省も腰を上げましたが、そういう場合に問題を起こした企業は、責任者が会見場で頭を下げ、頃合いをみて辞任して終わりです。

また最近の一党支配の国会などでの政治家の発言には目に余るものがあります。この方も「誤解を招く発言がありましたので、撤回させて頂きます」。思わず本音が出たということでしょうが、これまたいつも儀式のように繰り返される風景です。時と場合、状況次第では、与党の官房長官が「表現の自由」を理由に弁護することもあるのです。しかし一方アメリカでは、企業の責任者もこれに関わった政治家も辞任するか、獄中の人となる場合もあります。

では、今回問題になったブラック企業から政治献金を受け取っていた日本の政治家はいないのでしょうか。さあどうでしょうか。青地晨のようなジャーナリストが密かに裏を取って、仮に明るみに出れば、どうなるでしょうか。これまた国会の委員会で頭を下げて免罪ではないでしょうか。当の政治家は嵐の過ぎるのをじっと待って、人々が忘れた頃にまたまた選挙にご出馬というわけです。安保法制や国際テロ情報収集を理由にした日本版ＣＩＡだけでなく、アメリカに倣うなら、こういう厳しさも取り入れてほしいものです。私たちは、すでに過去に幾度となく繰り返されてきた「三陸大地震・大津波」の歴史[注2]をゆめゆめ忘れてはならないように、企業や政治行政の責任をしっかり認識して、粘り強く社会変革の道を探り、求めて行かなければならないと思います。

おわりに　―世界の動きと日本の可能性―

最後に少しだけ話を元にもどしますと、仮に日本の首相が右へ倣えと「技術立国」を主張するなら、むしろ日本の積年の課題であり、アキレス腱でもある「エネルギー」源確保のための技術革新をこそ主張してほしい。取りあえずラテンアメリカやアフリカの問題をおくとして、私たち日本社会のこの分野での可能性に焦点を当てるなら、政府の主張と異なる「技術革新」の可能性に目を向けるべきではないでしょうか。例えばですが、すでに注目を集めながら、コスト高のために競争力が弱いとされる「水素エネルギー」、またしばしば取り上げられて来た「太陽電池」、さらには「風力発電」や「地熱発電」です。いずれもコストの問題などで、現存電力業界では優位な立場に立てていません。この先一〇年あるいは二〇年、この分野で大きな技術革新が実現されるならば、日本の経済社会の発展だけでなく、アジアを初め世界の政治経済や環境問題にも大きな貢献が出来ると思います。

本冊子『歌とトークで迫るラテンアメリカの今』の「まえがき」としては、やや脱線した嫌いがありますが、一九七三年のサウジアラビアのヤマニ石油相とベネズエラのペレス・アルフォンソ外相との連携に始まるアメリカ石油メジャーへの反撃は、お二人の指摘のように、アメリカは今や中南米諸国から弾き出された状態にあります。そして大陸で孤立したそのアメリカに言わば救いの手を差し伸べているのが、他ならぬ私たち日本なのではないでしょうか。ですからこの「まえがき」で私が話題にした現代日本社会の問題は、決して本冊子の趣旨と矛盾しないと思うのです。

この冊子でお二人が展開しているトークの内容は、ラテンアメリカ地域の今と未来に始まるのですが、そこに止まることなく、世界や日本の現在と未来にまで広く視野をおいて展開されています。ですから僭越の誹りは免れませんが、読者の皆様が編者の一人として私がここで言及させて頂いた論旨とも重ね合わせて、本冊子をお読み下さり、忌憚ないご意見・ご叱責を頂ければ有り難く存じます。

（二〇一五年一一月）

（注1）山崎豊子の小説の迫真性については、野上孝子『山崎豊子先生の素顔』（文春刊）に詳しく紹介されています。因みに、彼女が日本航空を取材して書いた大作『沈まぬ太陽』について、筆者のかつての同窓生で日本航空の元幹部が「あの話はほとんど実話だ」と打ち明けてくれたことがあります。

（注2）明治以降だけでも、一八九六年と一九三三年、そして福島原発をも飲み込み、一万五千人以上の犠牲者を出した二〇一一年三月十一日の今回の東北大地震と、一五〇年の間に三度もある。

科学技術の発展と私たち人類の未来

―ＡＩやゲノム編集は私たちに何をもたらすのか？―

只今、ご紹介いただきました片岡でございます。司会の方からありましたが、何やら私の専門が国際関係論となっていますが、国際関係学部づくりに携わりましたので、間違いはないのですが、文化文明論となると相当なことです。世界文明学会という専門の学者先生の集まりがありまして、東京大学で教鞭を執られた伊東俊太郎先生という方がおられまして、以前に早稲田の大隈講堂でお話をさせて頂いた折にお目に掛かり、議論を頂いた著名な方です。その先生が聞いたらびっくりされるのではないかといささか困惑しております。

つまり、私は決して学者ではありません。一言で言うなら「雑学者」に過ぎません。あれやこれや関心をもって、情報を集め研鑽は積んで来たつもりですが、これと言って専門的学問は無きに等しいのです。ですから、学者先生などと言われると正直困るのです。昔よく言われて来た「でもしか」教員です。食べていくために何かしなければならないということで、運よく大学の教員の道を歩くことができて、教えるために勉強して来ただけのことです。もともと私はそういう道がいやで、若い時には小説家になりたいと思っていた文学青年の成り上がりに過ぎません。ですから、学生さんたちには、よく変わった先生、変な人と言われて来ました。そういう訳ですから、どうか過大な期待をなさらないよう、まずはお願い申し上げます。

さて、自己紹介はこれぐらいでご勘弁頂き、本日のテーマである「科学技術の発展と私たち人類の未来」の議論に移らせて頂きます。実は、このテーマは一年以上前に考えたものです。その頃ベトナムの首都ハノイに日本のＯＤＡを使って日越大学院大学（ＶＪＵ）を創る計画が進んでいまして、その学長に就任された昔からの同僚、古田元夫学長から片岡への講演依頼がありまして、そのとき提案したのが、今回のテーマだったのです。それから二年程経った今年の三月にやっとハノイに参りまして、義務を果たすことが出来ました。今回あらためてお話する機会を頂き、研鑽を積むことが出来ますことに、まずは御礼申し上げます。

はじめに

それでは、お手もとにありますレジュメにそってお話をさせていただきます。今や人工知能ＡＩ（Artificial Intelligence）をめぐる議論は日本でも尽きない状態です。私自身がこの議論に最初に関心を持ちました切掛けは、数年前のことだったと思います。その頃アメリカでロボットコンクールがありまして、優勝したのがイタリア、二位がスペイン、三位と四位がアメリカと日本だったと思います。日本はロボットのハードの部分、つまりボディの形が綺麗で、その点で日本が世界一だったかと思います。

一方、このコンクールでは、〈ロボットが自動車に乗って目的地まで行って所期の目的を首尾よく果たせるか〉が課題だったのです。日本の場合はロボットを遠隔操作によって命令を下して目的を果たさせる、というやり方でした。つまり〈車が来たから乗りなさい。そして運転しなさい、そして○○まで行って、その建物のドアを開けなさい〉といったやり方でした。つまり、あらかじめインプットした手順に従って、遠隔操作で動くのです。ところがアメリカの場合は、〈ロボット自身が歩いて車に乗り、自分で運転して、建物の前まで来て降りると、自分で建物の扉をあけ、さらに階段を上って、指定された目的地まで着く〉という仕様でした。つまりロボットが自分で認識し、判断し、行動して所期の目的を果たすのです。

そういう事前の経験があったものですから、その翌年だったと思いますが、ジェイムズ・バラット（James Barrat）が“Our Final Invention: Artificial Intelligence and the End of Human Era”つまり『人工知能―人類最悪にして最後の発明』が一〇〇万部のベストセラーになったことをニュースで見たのです。そして、私は紙の本ではなく、ここにあるタブレット端末で電子書籍として読みました。バラットは二〇四五年には人類が人工知能に支配されると主張していたのです。衝撃を受けた私は、甚だ不遜ではありますが、バラットが提起した議論を、少し敷衍させて「科学技術の発展」の問題として捉えてみようと思ったのです。

まずは、そこに至る人類の文明の歩みを、ざっと見ておきたいと思います。

一、人類の文明に至る「前史」

人類はいつごろ地球上に現れ、どのようになっていったかについて簡単にふれておきます。人類は、石器を使う、つまり道具を使うことができるという意味でホモ・サピエンスといわれます。ホモ・サピエンスは賢い人という意味です。いつごろ現れたかというと、いろいろ説がありますが、三〇〇万年ぐらい前から始まって七〇〇万年前と幅があります。何をもって始まりなのか、ヒト、あるいは、ヒト科という分類でいいますと、そういう人類が現れたというのがそのころであります。

まず、猿人、猿の人です。つまり、猿が木から下りて歩くようになった。そして森の人になった。それが猿人、人類の最初の人です。その次に原人つまり原始的な人間、それから新人、つまり私たち人類は、猿人→原人→新人というように進化の過程をたどったわけです。では、その人類、ホモ・サピエンスは、まずどこに現れたのか。すでに定説となっていますが、ご存知のようにアフリカです。そしてそのアフリカからヨーロッパ、小アジア、東アジア、さらに地球上へと広がったと言われています。そのなかで私が面白いと思ったエピソードがあります。アフリカから出て、ヨーロッパに向かって初めて巡り合ったのがネアンデルタール人。一説によると、一六〇センチそこそこの人類の祖先が強靭な体躯の彼らと出会い、争いが起こりますが、ネアンデルタール人に勝利して、やがて私たちの祖先の世界制覇に至ったということです。

ではなぜ勝ったのか。色々な説がありますが、そのなかで私が面白いと思ったのは、今のパチンコの原理の応用です。その大きなものをつくって、言わばテコの原理を用いて、大きな石をとばす道具です。それでネアンデルタール人を撃退したというわけです。これが一番面白いなと思いました。この説はネットで調べてもあまり出てきませんが、興味のある方は是非調べてみてください。

こうして私たちの祖先は世界を制覇し、今日に至っているということです。ネアンデルタール人とは、その後、仲良くします。結婚したりしますが、結局滅亡したと言われています。また広くアジアの方には、ホモエレクトス、立って歩く人という意味ですが、そういう人類も存在したそうですが、結局は彼らも滅亡し、今のホモ・サピエンスが残っているというわけです。

二、文明、科学技術の発展

さて、そのような人類が、いつから文明というものをもつようになったのでしょうか。文明の定義というと、文明と文化の違いは何かなど、かつて議論がありましたが、ここではやめておきます。文明がいつごろできたのかについて、いろいろと説が入れ替わりますが、ここでは人類文明一万年、もしくは一万二千年ということにしておきます。また何をもって文明というかという問題もあります。諸説あるかと思いますが、何をもって始まったかということが問題です。

最近、ユヴァル・ノア・ハラリ『サピエンス全史　文明の構造と人類の幸福』という本が話題になっています。電子版も紙の本も出ています。この本によりますと、人類の文明が始まったきっかけは、人間が農耕を始めたことにあるとしています。つまり、自然に生えている植物を採集したり、森のなかを徘徊している動物を仕留めてその肉を食べたり、魚を捕って食べたりする狩猟時代を経て、やがて人々が一定の地域に定着することになり、そこで、最初は少なかったものの、その農地を次第に広げていった。こうして今日農耕と呼ばれるものの発明によって、私たち人類が自分の手で新しい植物を食べ物とするようになったのが、人類の文明の始まりだとしています。彼はこれを「農業革命」と称しています。その後の展開も、いろいろと続くわけですが、その詳細はここでは省略させていただき、以下、一八世紀以降急速に発展した「科学革命」の典型的な事例をいくつか挙げて、その貢献度と問題点を簡単に申し上げておきたいと思います。

一九世紀スウェーデン人アルフレッド・ノーベルの功績の二つの側面

一九世紀に、スウェーデン人、アルフレッド・ノーベルという人がいます。私の今日のお話のキーワードは、科学技術は二つの顔があるということです。それは、Positive face と negative face です。科学技術は、私たち人間にとって、非常に役に立っていて、ありがたい面と、逆に人間にとっては都合の悪い、負の面と、二つの顔があるのだということです。そのことを忘れないでほしいのです。あのノーベル賞のノーベルですが、そのノーベルが何をした人なのか知ってほしいと思います。

彼はそれ以前に発見されたニトログリセリンから火薬をつくり、それを基にダイナマイトを発明した科学者として知られる人物ですが、ニトログリセリンは大体一四℃ぐらいで爆発するという非常に不安定で危険な化合物です。若い方たち見ていないかもしれませんが、「トランスポーター」というフランス映画の中で、フランスのシャンソン歌手として知られるイブ・モンタンが高額の報酬に誘われてニトログリセリンを運ぶ運転手役として登場します。フランス映画らしく大変スリリングで、しかもシニカルな結末が待っているという設定です。仲間とそれぞれ二台のトラックで運ぶわけですが、先行するトラックが悪路で事故に見舞われ、まず悲惨な最後を迎えます。後を行くイブ・モンタン運転の車は慎重かつ巧みに仕事を果たし、託されたニトロを目出度く目的地に届けて、約束の報酬を手に入れます。ところが高額の小切手を懐に空のトラックを一人で運転するモンタンは、すっかり浮かれた気分になり、急カーブの山道を曲がり切れずに谷底に転落してしまいます。まことに不運というか思わぬ最後を遂げます。この映画もそうですが、フランス映画には、人間や人生に対して警鐘を鳴らすかのように、こうした悲観的な結末を迎えるケースが少なくありません。

さて、このようにニトログリセリンから火薬が造られ、それを基にダイナマイトを創って巨万の富を得たのが他ならぬアルフレッド・ノーベルです。またそのダイナマイトが強力な武器である砲弾を産み、アメリカの南北戦争では奴隷制廃止を謳う北軍に勝利をもたらしたと言われています。しかし皮肉にも社会の進歩に一定の貢献をしたと言えるこのような武器が、その後の近代の残酷な殺戮戦争の始まりとなったこともまた紛れもない事実です。

ですから、ノーベルが後の人類の歴史に負の展開をもたらしたことも否定できないでしょう。しかしほとんどの方は今やこの事実をすっかり忘れ、遺産を基に創設された各種ノーベル賞の方にのみ注目しているわけです。私などは功罪相半ばすると言わざるを得ないと思っています。特に日本では誰々にノーベル賞が授与されたと大きく報道されますから。素直に喜んで良いものでしょうか。

事実少ない事例ですが、しぶしぶ受け取る人もいますし、サルトルのように潔く辞退した例もあります。個々の方々のその分野での功績は別にして、いま一度こうした機会に私たち人類の行く末を科学技術の発展にも照らし合わせつつ、見据えて行きたいと思っています。

マリ・キュリーの放射性元素ラジウムの発見

実はラジウムについてはアンリ・ベクレルという科学者が先行しますが、ラジウムは自然界では、単体としてではなく、鉱物の中に複合体として存在する元素です。それを鉱物から単体として分離して取り出すのがなかなか難しいのです。実は先行していたアンリ・ベクレルは途中で投げ出して最後までやらなかった。それをマリ・キュリーが引き継いで、粘り強く取り組んだ末に、純粋ラジウムの分離にみごとに成功するのです。取り出されたラジウムが試験官の中で青い光を放って、感激したという話は余りにも有名なエピソードです。

こうして彼女は、女性として初めてノーベル物理学賞を受賞しました。後に大学の科学史家L・ピアース・ウイリアムズは彼女の功績を原子核物理学の画期的な発展に大きく貢献した科学者として高く評価することになります。しかしその後の世代が担う原子核物理学の発展は、マリ・キュリーの思いとは裏腹に、皮肉にも原子核エネルギーという、大量殺戮兵器へと思わぬ展開への道をも切り開くことになったのです。

アインシュタインの物理学への貢献と原子力への道

アインシュタインといえば、例の特殊相対性理論と一般相対性理論という画期的な理論の発明者ですが、同時に原子核に秘められた超莫大なエネルギーの存在とその開発の可能性を最初に示唆した科学者です。ニューヨークのマンハッタン地区には有名研究所があり、そこで人工的に原子力の開発が莫大な軍事予算に支えられて進められたのが、マンハッタン計画です。研究所長はオッペンハイマーです。当時は冷戦時代の開幕時でもあり、何とかソ連を出し抜こうという強い思惑がアメリカにありました。もとよりその膨大な研究開発費は政府の支出、国民の税金です。アインシュタインも専門科学者の一人として当初はその計画に参画の意を表するのですが、後にマンハッタン計画なるものが原子力の原子爆弾への転用という計画だったことを知って、それはとんでもないことだと翻意し、例の「べろべろべえ」という有名な場面を作って、マンハッタン計画ときっぱり手を切ります。

もとよりアインシュタインの相対性理論は、ラムダ係数を使って宇宙理論にも通用するとか、それには量子力学の適用が必要なのだとかいう現代の宇宙物理学への偉大な貢献は言うまでもありません。例えば宇宙の始原とか、銀河系の存在やブラックホールの問題、それにそもそも宇宙は膨張しつつも、やがては収縮するという説があったかと思うと、最近では膨張し続けていて、しかも加速度的に膨張しているという説が有力視されたりなどしております。また皆さんもご承知のように、銀河の中心に存在するブラックホールの実態は依然として謎に包まれていますし、さらには我々の宇宙の他にも別の宇宙が存在するという説もあります（Universe → Multiverse）。

しかしこのような議論と研究を重ねる度に巨額の予算が計上されて、研究が進められているわけですが、このことにどれほどの意義があるのだろうかと、私は時々疑念を持ちます。出来れば小惑星やブラックホールが地球に衝突しないための観測とその予防策の方に重点を置いてほしいし、何より私たちの日々の生活や生命や健康に有意義な研究にもっと予算を割いてほしいと思っています。もとよりそのためには、私たち自身がつねに市民・国民の目線や日常に目を向けて、それに寄り添った政策を実現しようとする政治家を選ぶ責任があることを肝に銘じなければならないのではないでしょうか。

ここで視点を変えて、いま一度人類の歩みを検証してみますと、私たちは、道具の発明に始まる科学技術の発展に血道を上げて来たことは否定できません。つまり言わば人間の「業」と言いますか、あるいはフロイトの言う欲動でしょうか、そういう「業」ときっぱり縁を切ることが出来ないで只管（ただひたすら）「進歩」を謳って歩んで来たと言えないでしょうか。簡単には行かないし、一筋縄では済まされない。そういう厳しい状況におかれて来たし、また今もまさにそうなのだと思います。日々の生活や身の周りの問題に手を取られ、足を掬（すく）われている点では私も同様です。あらためてこの種の問題について皆様の経験やお知恵に御すがりできないものかと、厚かましく思ったりもしております。次にお話し申し上げる問題提起も、このような人類の絶ち切り難い「臍（へそ）の緒（お）」と無関係でないと思うからです。

三、コンピュータとインターネット（情報通信）技術の飛躍的発展

私たちが今何ともないように使っているメールの話です。私が立命館から羽衣へ三顧の礼をもって迎えられたのは一九九六年のことでした。京都から通うのは大変です。大阪の方に部屋を借りて通い始めたときに、ワードプロセッサーを使い始めました。私の恩師の加藤周一先生は死ぬまで原稿用紙一枚一枚に丁寧に書いておられました。私も若い時はそうしていましたが、ワードができて、その便利さに負けました。人間はどうしても便利なものにひかれます。一旦それを使いだすと、もうそれを手放すことができない。私もその典型的な例で、ワードの便利さに負けました。思いつくままに書けばいいわけですし、後からいくらでも編集できるわけですから。

一九九五年に当時の郵政省が初めて日本でのインターネットの使用を許可したのですが、アメリカはもうとっくにやっていたわけです。なぜインターネットというものができたか、一九四一年に戦争が始まります。当時は冷戦時代です。日本もその一角をしめるわけですが。一九四三年にアメリカはトンツー・トンツーという暗号を解読するのが重要だったわけです。でも、どうもまどろっ

こしい、言いたいことを言えない、何とかならないかということで、アメリカ政府がシリコンバレーの企業と強者プログラマーたちに考えてほしいと巨額の予算を与えました。それがコンピュータの開発です。

以来コンピュータは億、兆、京単位の計算ができるようになります。そしてその機能を進化させるべく、シリコンバレーのビッグ5と呼ばれる人たちが開発に携わります。私が聞く限りでは、選りすぐりの二〇人のハッカー・プログラマーたちが二四時間体制を敷き、三カ月かけて新しいインターネットと言われる、IPv4を完成させます。

IPというのはインターネット・プロトコールの頭文字で、インターネットを通して情報をやりとりする場合の約束事を言います。Vはバージョンで、第四版ということです。

コンピュータというのは〇と一で計算します。〇と一を八つならべて、どれだけ組み合わせができるか、その結果が二の八乗、これが基本で二五六のIPアドレスができるのです。それをさらに四乗すると、約四三億のIPアドレスができます。皆さん方がメールをしたり、スマホを使ったり、インターネットを使うことができるのは、このIPアドレスのおかげなのです。業者の方によれば、このアメリカのIPアドレスを借りて、例えば、片岡のIPアドレスは何番というように決まっていて、サーバーが認識してくれるわけです。でも、みんな自分の番号を知らない。知っても意味がないわけです。私は今、二つのメールアドレスをもっています。一つは公的なアドレス、もう一つは私的なアドレスです。最初に二千円か三千円払います。そして一つ増えるごとに一〇八円かかります。借りるのにお金がかかるわけです。シリコンバレーから借りるのか買うのかわかりませんが、三〇個まで使えるそうです。

でも、四三億では足りないじゃないかということで、また、すぐれたハッカーの人たちが毎日、何時間もかけてIPv6というのをつくったというのです。ハッカーというのは悪い意味でも使いますが、今はいい意味で使うことが多いようです。IPv6は二の八乗の四乗をさらに六乗したものです。つまり二の一二八乗で、約三四〇澗(かん)個のIPアドレスをつくったということです。「澗」というのは、皆さんご存じの数の単位で、万・億・兆・京などと同じもので、京の後も全部漢字一字で表せられ、澗は一〇の三六乗！　それだけあれば心配いらないわけです。かくて世界中、どの国も地域もインターネットを使うためには、このIPアドレスをアメリカから借りることになるわけです。中国といえども、またみなさんの携帯でもそう、スマホでもそうです。

何故このようなものがつくられたのか、実は冷戦時代に、アメリカの優位をソ連に見せつけるための軍事力開発だったのです。これもまた現代の科学技術が持つ二つの顔を如実に示しています。私自身もよく使っていますので、悪いとは言いづらいですが、私たちの多くが使っているメールには、このような背景があることを知っておいていただきたいと思います。

四、ロボットと人工知能に託された人類の夢とは

今や、世間ではロボットと人工知能が花ざかりです。人工知能が現在どのように使われているのかの事例をあげます。

1　福祉の現場で役立てる

テレビなどでは、保育ロボットや介護ロボットが例としてあげられています。私もいい年になりましたので、ヘルパーさんに来ていただいています。介護保険を制度の開始以来払い続けたのだから、もうそろそろ、その権利を行使しても許されるだろうと思ったのです。今の政府は将来その介護にロボットを使おうと考えているようです。介護する人が足りないからというのが理由です。テレビに出て来るイメージキャラクターの一例ですが、老人ホームで可愛いロボットが話しかけて来て癒してくれる。しゃべると答えも返してくれる。癒しのロボットです。

2　医療の現場で

人工知能のゲノム解読によって日本の医療も変わりつつあります。私も二つの病院に通っていま

すが、日本の医療が今後どのようになっていくか、医師も関心をもっているのがゲノム解読を使って行う医療です。

以前、ＧＮ21の討論会で、ある肝臓がんの専門のお医者さんが、千人の肝臓がんの患者をみてきたが、同じ肝臓がんでも一人一人違う、千差万別だとおっしゃっていました。一人一人の個体で違うという。私も、鍼灸師さんにお世話になっていますが、聞くと、あなたは解剖学的にはここがツボだが、一人一人ツボは違うとおっしゃいます。解剖学では悪いポイント、ツボは決まっているが、人によって微妙に違うという。あなたも来る日によって違う。どうしてわかるのかと聞くと、指先でおさえると悪い部位が教えてくれるというのです。いろいろなツボがあって、行くたびに、指でさわって悪い部位をみつけてくれます。頭のてっぺんまでです。それだけ微妙なことをして針をさしてくれます。鍼灸というのは、東洋医学です。

痔の話ですが、痔というのは切ります。京都の渡辺肛門科という病院があります。そこに行くとやはり切るという。私の兄も切ったことがあり、痛いといっていました。そこで、いやだと思って訪ねていったのが、倉田正先生、京都の吉祥院の先生です。この方は中国へ行って鍼を勉強されました。鍼で麻酔をされるのです。イボ痔のところに注射をする。くるみの油の注射だといわれる。注射すると、イボ痔が固くなって、ポロッととれます。

日本の医療では、どのような治療や手術をして、どのような薬、抗がん剤をつかったらいいのか、先ほどのように、人によって千差万別ですからとても大変です。そこで、一人一人のゲノムの解読をして、医者が求める一定の数式を人工知能にやってもらおうというのです。これにはこういう薬がいい、こういう手術をする、あるいはしない方がいい、などと答えを出してくれる。期待を込めてやっています。医療現場で役に立っています。今、病院にいっても、聴診器でやらないのです。これまでは問診、聴診、打診といったことをしていたのですが、今はやりません。聴診器をぶらさげている先生がいません。大きな病院ほどいません。若い医者は聴診器が使えません。だから医学部で聴診器学科ができたということです。

3　交通機関への導入

交通機関では、ご存じのとおりです。信号や交通整理への導入、自動運転車、やがて無人タクシーが走るということです。

4　エドテック＝Ed Tech（Educational Technology）

エドテックといいまして、教育現場に使われています。校舎がいらないというのです。学生は学校に来なくていい。家にいても、アルバイトしながらでも、暇なときやりなさい、しかも先生と一対一でできるのです。その学生の学習能力にしたがったアドバイスができる。それに見合った教育ができるということです。

5　音楽を作曲する

次は、何と作曲をしてくれるというのです。その人の脳波を調べれば、その人が、何が好きかわかるというのです。『ブラームスがお好きですか』という有名な小説がありますが、ＡＩが、あなたは何が好きですか、ボブ・ディランが好きですか、などと聞いて、全部作曲してくれるのです。作曲家がいらないのです。

6　小説などの作品を創る

それから、小説ですね。直木賞作家が言っておりますが、人工知能にあらゆる小説を読ますのです。そして、自分が書きたい小説の文章を全部編集してくれるのです。彼はほとんど小説を書かないで済みます。編集するだけで済んでしまいます。現実の世界もそうなってきています。私は、これはいいことなのか悪いことなのかわかりません。

7　投資信託の運用を行う

それから、今流行(はや)りの株ですね。トレーダーという人、専門家がいて、あれ買いなさいとか何といます。

か言ってくれます。最初もうけさせてくれて、あとで散々損をします。私も幾ばくかの経験をしています。

8　スポーツを実体験する

最近、〈Eスポーツ〉というＡＩソフトが登場して注目されています。あたかも現実の野球やサッカー、バレーやバスケットボールの実況を見るというか体験するわけです。仮想現実ではありますが、あたかもそれを目の前の現実のように経験することになるのです。それで若者たちが、あるいは大人も、どこかのチームを熱狂して応援したりするわけですから、仮想現実の凄さというか恐ろしさは、いよいよヒートアップすることになるでしょう。

9　軍事に利用する

最後に、人工知能は軍事力に使われています。オサマ・ビンラディンは、アメリカが最初にアフガニスタンでソ連をやっつけるために訓練した男です。サウジアラビアの出身です。アフガニスタンから帰ってきて、その後、アメリカに反旗を翻します。アルカイダになるわけです。アルカイダの親分になります。そして、何とアメリカは無人飛行機で彼を殺します。まだＳＦの世界ですが、戦闘機や爆撃機に人間が坐らずロボットが坐っている。人間が乗っている戦闘機もあり、編隊を組んでいる。しかし、ロボットに命令してもそれに従わない。いやだ、まだやりたいという。こういうことが現実に起こり始めているということです。

だから、将来どうなっていくのか。ジェイムズ・バラットが「二〇四五年に人類は人工知能に支配される」と述べています。支配されるとどうなるでしょうか。ロボットに支配されるわけですから、ロボットに命令されて、「はい、はい」というわけです。こんなことを想像するのは難しいですが、ジェイムズ・バラットだけでなく、そういうことを言う人が続々と出てきています。その一人のレイ・カーツワイルという人はシリコンバレーにいる方ですが、グーグルの専門家です。前からそういうことを言っていたということがわかっています。

五、遺伝子（DNA）情報の書き換え技術（ゲノム編集）の展開

バイオテクノロジーでのゲノム編集において、遺伝子を操作し、組み替えて、クローニング、つまり複製していろんなものがつくられています。クローン羊がそうです。今やクローン人間までつくるという話まで出ています。バイオテクノロジーでは、種なしブドウの話があります。超国家企業のモンサルトという、外資ですが、その分野で大儲けしているという話は有名です。種なしブドウから始まって、いろいろなものをクローニングして次々とつくっているようです。

おわりに

さて、このような状況にあって、私たちはどうすればいいのかということです。一例ですが、スウェーデンのロラン島というところで、エコ・チャレンジを実践しておられるニールセン北村朋子さんという方がおられます。彼女は小田原出身ですが、東北によく行かれて、一つのアドバイスをされています。この方は水素エネルギーをつかっておられます。ロラン島のエネルギーは全部水素です。水素というのは酸素と結合するときに莫大なエネルギーを出します。出来るのは水ですから何の害もありません。非常に理想的なことをロラン島で実際にやっておられます。東北の東松島でも復興計画に参画されておられます。

日本は元々アジアです。アジアでは、自然への畏敬というものを私は子どもの頃から習っていたように思います。自然への畏敬の念、わが国特有の文化的価値、文化的世界観といいますか、そういうものをもっているにもかかわらず、いつか、私たちはこのことを忘れてしまったのかということを思わないではおられません。今日は、「何を、どうしたらいいか」というお話ではなくて、「こういう問題が出てきております。みなさんも考えてみていただけませんか」というお話です。

以下は、参考資料の説明と補足です。

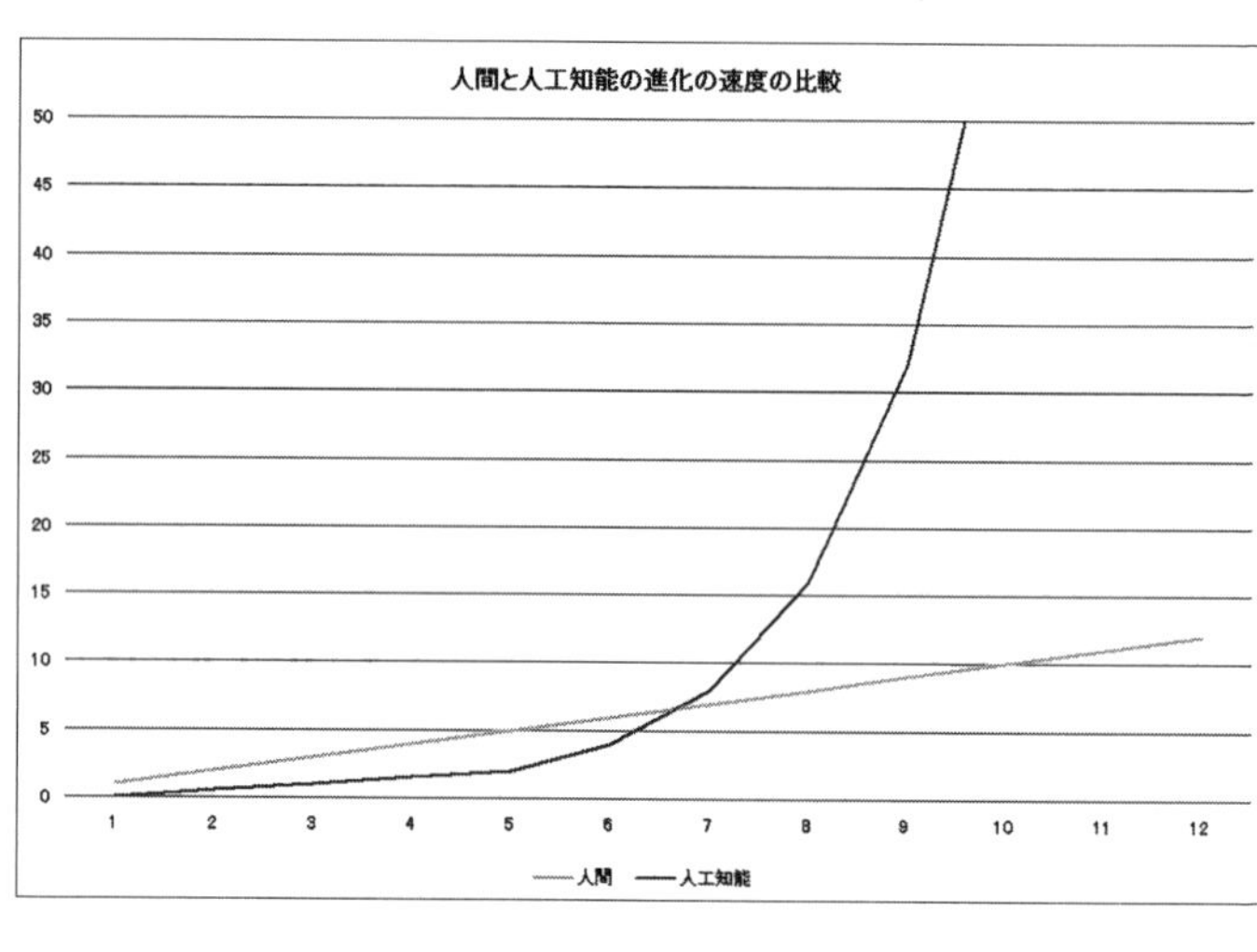

(二) 別紙にグラフがあります。私なりに苦労してつくったものです。

これは、人間と人工知能の進化を表したものです。人工知能が人間よりはるかに進化し、人間が人工知能に支配されることを表すものです。エクセルに数字を入れてつくったものです。この数字の根拠は何かといわれると困るのですが、それぞれの進化がこのようになるとしてつくったものです。ヨコの数字は進化の速度ではなくて、進化の歩みです。人間と人工知能の進化の歩みです。タテの数字はそれぞれの能力を表したものです。人工知能やロボットは人間がつくったものですから、最初は人間の方がえらい、上回っています。しかし、〇から始めて七番目あたりのところで人工知能が急激に急カーブを描いて、人間の能力を上回っていきます。この地点が、最近よくいわれているシンギュラリティなのです。

シンギュラリティというのは、英語の辞書で調べてもでてきません。スペルはSingularityです。日本語の訳は「技術的特異点」といいます。その後はどうなるかわからないですが、その技術的特異点は二〇四五年ということなので、まだ間に合います。考えてくださいということです。

（二）ジェイムズ・バラットの著作“Our Final Invention—Artificial Intelligence and the End of Human Era”『人工知能—人類最悪にして最後の発明』の話ですが、人工知能と人間時代の終わり、人類の終末、終末論です。旧約聖書ですか、キリスト教でいうところのハルマゲドンです。それが国際社会で問題になり、国連でプロジェクトチームをつくって、専門家に話し合ってもらったところ、結論が「相当危ない」という結論に達したことは皆さんもご存知かと思います。また最近亡くなられた、かの車椅子のホーキンス博士も「大いに危険だ」と指摘しています。このような著名な科学者までが声を揃えて警告している以上、私たちも真剣に考えなくてはならないと思います。
私にも娘が二人、孫が三人います。あと八〇年近く生きるかもしれない彼らには、紛れもない危険な事態が待っていると言えるでしょう。しかし「地球の終末」の問題など、うっかり話題に出来ません。事実、やがて五〇歳になる娘に、これに近い話をすると、彼女は即座に険しい顔になり、「それじゃ私たちはどうしたらいいのよ！」と真顔で迫られました。私は咄嗟に「いや、パパも戦後、家屋敷が焼かれ、父が他界して、貧乏の淵で散々苦労したけれど、何とか頑張って立ち直った。だから、人間誰しも一度はそういう時代を迎えるけれど、そういう時にはみんな誰しもがんばって立ち直るものなのだから、ただ悲観ばかりしない方が良いと思うよ……」と応えたことがあります。

かつてフランスの哲学者サルマン・ラシュディはエドワード・サイードについて、「ペソオプティミスト＝悲観的楽観主義者」という表現を発明しましたが（『越境する世界文学』一九九二年一二月、河出書房新社）、私たちも今日の悲観的な現実を捉え、かつ踏まえた上で、明日を、未来を、楽観的に展望する視点を是非とも発見しなければならないと思っています。

（三）次に上記のジェイムズ・バラットの指摘の上に立って、彼とほぼ同時期に人工知能の危うさについて論じていた、レイ・カーツワイルという物理学者がいます。彼はグーグルのハッカー（＝プログラマー）で、指導的な役割を果たして来た人物です。もとよりアメリカは、以前からこの種の問題に熱心でした。一九〇〇年代末に Intercollege agreement の協定締結のために、私がシアトルを訪問したときには、すでにその地に「サイバー大学」という名の大学が存在していて、びっくりしたことを覚えています。何事かとそこの先生に聞くと、大きな学舎はなく、大学の運営にもさしてお金はかからないとのことでした。言うなら〝ヴァーチャル大学〟で、まさに時代の先端を行く大学だったのです。

さて、レイ・カーツワイルは、ドイツ系ユダヤ人の亡命家族に生まれました。ナチに追われたのです。ＭＩＴ、マサチューセッツ工科大学の出身です。彼には『宇宙は覚醒する』という最近の著書があります。覚醒するというのですから、何か希望があるのかなと思うのですが、読んでいないのでよくわかりません。

彼は、バイオテクノロジーと人工知能を統合させようとします。つまり、非常に微小なナノ単位の人工知能のロボットを脳に埋め込むのです。熟練の鍼灸の先生が針を頭のてっぺんに刺すように、埋め込むのです。そうすると、その人の脳の情報がすべて読み取れることになります。これが医療にも役立つわけです。また、カーツワイルは、宇宙全体と知性が合体するとまでいうのです。つまり人工知能を脳に埋め込まれた人間は、こうしてやがて宇宙と合体すると彼は主張しています。私にはその詳細が、またその意味が理解できません。しかし、ある若い女性の学者は分かるような気がするというのです。では、どういうことかと、聞いても答えられる訳ではないのですが……。

さて、レイ・カーツワイルは、むしろそれとは別に、二〇三九年に実現して、人工知能とバイオテクノロジーが統合することで、シンギュラリティの時期が早まり、人間の寿命が飛躍的に伸びて、人生一〇〇年はおろか、やがて二〇〇年、そして夢の不死の時代が来るとも言うのです。確かに人間も生き物ですから、「死への恐怖」は誰しも持っているでしょう。しかし、永久に死なない、あるいは「死ねない」となったら、どうなるでしょうか？　私には「永久に死ねない」恐怖の方が大きいと思います。まさに恐ろしい事態だと思いますが、皆さんはいかがでしょうか。

一度考えてみて下さいませんか。少々突飛な問題提起で終わりますが、以上私からのお話を終わらせて頂きます。ご清聴下さり有難うございました。

＊　＊　＊

以下、ご質問の一部にお答えしつつ、若干補足させて頂きます。

先ほど、バイオテクノロジーに関連して、農業革命が人類を変えたということを申し上げました。それに関連してですが、「パンドラの箱」という故事があります。パンドラというのはギリシャ神話の、人類最古の女性です。パンドラにゼウスの神様が箱をあげるのです。そして、困ったときにその箱をだれか男に渡せというのです。男が開けるとその周辺に災いが広がります。それがパンドラの箱をあけるという話、神話です。パンドラというのは語呂がいいですが、非常にこわいものなのです。私は、女の人にはとてもかなわないと思いますので、ここ一〇年ぐらい一人でいます。女性にかかったらかなわないという気持ちがあって、残念ながら一人でいるというわけです。

ここに『パンドラの種』という本があります。スペンサー・ウェルズという人の本で、翻訳もあります。どういうことが書いてあるかといいますと、例の「パンドラの箱」なのですけれど、要するに、先ほどお話した『サピエンス全史』で説明していることですが、一言でいうと人類文明が狩猟革命から農耕革命へと進化（?）したことで「進化の種」をまいて来たことが間違いだったというのです。狩猟のままで良かったのに、それで我慢すれば良かったのに、自分たちが余計なものをつくり出し始めたことが、実は人間が犯した罪、業なのだというのです。大方の皆さんは今更そんなことを言われても困るわけですが、おおよそそういうことが、この大部の本に書いてあります。

現在人類の人口はおおよそ七〇億ですが、人口爆発ということにはなっていません。確かにアフリカで人口が急増しています。アフリカには子どもを産まないという文化がないことが原因だとか、産児制限の制度がないからだという説がありますが、それには少々誤解があるのではないかと思っています。アフリカに対する偏見の類が、まだ日本には根強いところがあると思います。その点については後に付言させて頂きます。

次の問題ですが、片岡の問題提起にコメントを頂いた谷口先生は「技術科学」と言われました。私はこれまで「科学技術」と言って来ましたし、今日も「科学技術の発展と人類の未来」というテーマでお話させて頂きました。技術が先に来るというのが、現代のサイエンティストの一歩踏み込んだというか、先に進んだ視点なのかもしれません。先ほどロボットコンクールのお話をしましたが、この大人のコンクールとは別に、学生のロボットコンクールがあって、優勝した学校の名前をみて、時代が大きく変わろうとしているのだと実感しました。

その大学の名前は豊橋技術科学大学院大学です。不明にして初めて聞く大学名です。何と技術が先にきているのです。私も学部・学科作りや短大から四年制大学への改組転換などを責任ある立場で経験したことがありますが、要するにどういうコンセプトの学部や大学をつくれば学生さんが注目して沢山応募してくれるのかを考えさせられて来たわけです。立命館大学での国際関係学部創りの経験をはじめ、羽衣学園のような小規模学園の改組転換はそう簡単にはまいりません。どういうサブジェクトの学部が良いのか学科が良いのかについて、あろう限り、言わば最近よく耳にするいわゆるマーケッティングに努めました。

羽衣学園は、付属中学・高校を備えた大阪の南では伝統のある著名な女子短大です。女性の先生が多いのは当然ですが、そうであるかどうかは別にして、なかなか私の説明を受け止めて理解してもらうことが正直たいへん難儀でした。私のものの見方が片寄っているのか、男性目線なのかと反省もしたものですが、問題は教授会だけではありませんでした。理事会も最初は「なるほど、素晴らしい」と全面的に支えてくれましたが、その後財政が付いて回る現実化の段階に至ると難航し、手間取り、決着までに相当難儀した経験があります。羽衣国際大学というネーミングまでは漕ぎ着けたものの、学部名も二転三転しました。今は現代社会学部ということになっています。最初は産業社会学部でした。

それにしても谷口先生のようなアセアン地域での実践も経験し、活躍されて来られた先生が「技術科学」という新しいコンセプトに前向きなのは正直ショックです。私と同じような価値観をもっていらっしゃるとばかり勝手に思い込んで来ただけに、ショックは大きいです。私のような曖昧模糊とした文化文明論者とは視点や価値の置き方が異なるのは当然で、言わば正真正銘のサイエンティストなのだとあらためて受け止めることにしました。

実際、人工知能が人類の知能を超える時点を「シンギュラリティ＝技術的特異点」と呼んで、技術的進化の課題の方に優先順位を置く時代に私たちはいるのだと、あらためて認識を新たにしたところです。しかしそれにしても、この逆転現象に問題を挿む余地はないのか、いわゆる「実学」を優先するだけで良いのか、文化力を重視する視点を大事にしないで良いのか、という疑問符を断ち切ることは、今の私には出来ません。

関連して皆様の質問の中に、「人工知能の暴走を止めるにはどうすれば良いのか、具体的な手立てはあるのか」という厳しいものがありました。それに対する答えは、人間がつくったものなのだから、人間が止める以外に止める手立てはないと言わざるをえないでしょう。例えば精神分析学者のフロイトは、「欲動」という言葉を使って、人間の知能を動かしている本質は「欲動」だといっています。それが人間を動かしている、つまり「欲望」が私を基本的に動かしているのだと言うのです。私の娘にも指摘されることですが、どうも私は若いときから同じ方向を向いて、同じ価値観と迷いのなかで生きて来たのかもしれません。そういう意味では、あまり進歩というか進化を実践できないままでいる。そして、その基本にあるのが私の「業」、つまりフロイトの言う「欲動」なのかもしれません。「パンドラ」の種ではありませんが、いろいろな種を見つけては、「ああでもない、こうでもない」と評論しないではいられないということでしょうか。

一方、ちょうど一回り年下の甥には、「今やっていることをやめたら叔父さんは死ぬよ」と言われました。なるほどと納得しました。私のそういう救い難い「欲動」が私という人間を動かし続けているのです。ましてや、サイエンティストは、あれを知りたい、追究したい、そしてこれをやり遂げたい。そうして、いつか○○賞であれ、ノーベル賞であれ、ともかく名誉（?）だけでなく、何か実益を伴う幸運が舞い込むのも悪くない話だということでしょうか。

ご存じのように、ノーベルはあり余る程のお金をもうけました。それがもとでノーベル賞ができました。名誉だけでなく、一億円もらえるのが有り難いということかも知れませんが、私としては、潔しとしません。それはもらったことも、もらえる見込みもないからだと言われればそれまでです。さて、サルトル・カミュ論争で有名な二人ですが、カミュはああいうやさしい人柄故かもしれませんが、論争ではサルトルに負かされ、恥までかかされますが、見事にノーベル賞を受賞し、有り難く受け取りました。サルトルも受賞するのですが、こちらはきっぱりと断っています。知の争いというか精神の格闘というか、このような綱引きにおいても、カミュはサルトルに一目置かざるを得なかったということではないでしょうか。

日本では大江健三郎さんが受賞して、受け取りました。有名な大手の書店の話では、売れなかった大江の本が少し売れるようになったと言っていました。かつて私の尊敬する加藤周一先生に、全日空ホテルでいつものようにお話をうかがっているとき、実はスウェーデンのノーベル賞に関わっているというお話をされたのです。加藤先生がノーベル賞をもらうということはないと思っていましたが、実はノーベル賞を決定するスウェーデン・アカデミーの会員に選ばれたということだったのです。ノーベル賞に関わるアカデミー会員は六人ですが、日本人ではめずらしい事例です。その後、大江健三郎の受賞が話題になり、加藤先生が推薦して承認されたことが分かりました。そこである日私は、なぜ大江健三郎なのですかと聞くと、ほかに日本で推薦できる作家はいなかったと言われたのです。

最近ノーベル文学賞の有力候補者として、村上春樹さんがノミネートされています。書店で売れている有難い作家だそうで、ハルキストと言われる熱狂的な読者がいて、もてはやされています。私も後輩から村上春樹を読んでみてくださいと言われて読みましたが、何が言いたいのかよくわかりませんでした。ともかくグイと惹きつけるもの、胸に響くもの、訴えるものが見つかりませんでした。

スウェーデンのノーベルアカデミーというのは、ちょっとへそ曲がりなところがありますので、おそらく村上春樹さんはあまり好みではないと思っています。毎年一〇月になると、ジャーナリズムから詩人アドニスが受賞した場合のコメントをと電話がかかってきます。例年はこれこれの新聞に、またこれこれの雑誌に書いたものがあるから、それを読んでまとめて頂きたいと申し上げて済ませて来ました。ところが近年辺りから、ノーベル文学賞の予想屋が村上春樹と、私が知るシリアの詩人アドニスを並べ始めたのです。昨年などはトップに並び、NHK国際報道部からは「京都地方局がカメラを持って行くから宜しく」と言って来ますし、新聞の方もほぼ同じ対応です。私としてはその度に要らぬストレスを味わわされる始末です。特に昨年などは、アドニスがノーベル文学賞を受賞した意義について書いてくれと迫るのです。決まってからでは間に合わないから、すぐ書いて送れというわけです。仕方なくあわてて書いて送りましたが、ふたを開ければボブ・ディランでした。意外とも言えますが、やや「へそ曲がり」で知られるスウェーデン・アカデミーの結果には成程とも思いました。それで解放されたわけですが、さて今年はどうなることでしょう。

ＡＩ（人工知能）の続きですが、名人のタイトルを持つ超一流棋士が、ボナンザというソフトに負けました。これはどういう事態でしょうか。考えるに、ディープラーニングを重ねた上での結果です。深く学ぶ、学習を重ねる。人間は疲れますが、ＡＩは器械ですから疲れを知りません。一〇〇〇年、二〇〇〇年と学習（経験）を重ねた結果なのですから当然と言えるでしょう。囲碁のような十九路盤でさえ、名人と言われる棋士も高い確率で負けてしまうのです。

私はパリを第二のふるさとと呼んでいます。パリには少なくとも数度は足を運んでいます。またそこを拠点にアフリカへ行ったり、ヨーロッパの幾つかの国や中東などに行ったりして来ました。また中国やアセアンにも某団体からの派遣を委ねられて、何度か通いました。

しかし、どうも私たち日本人には、アフリカに対する偏見があると思います。よく言われて来たのは四大文明です。しかし、どういうわけか日本でも忘れている場所が少なくとも二つあると思います。一つは皆様もご存知の紀元三千年前に繁栄したラテンアメリカのマヤ文明、もう一つが日本ではあまり知られていませんが、黒人文明です。セネガルの科学者シェック・アンタ・ディオップがその著書『黒人文明の先駆性―神話か歴史か』（一九六七年&一九九三年、Editions Presence Africaine）で明らかにした、人類発祥の地アフリカで生まれ発展した黒人文明です。ですから、四大文明というのは正しくないと思います。メソポタミア、エジプト、インダス、黄河の文明、これが四大文明の定説ですが、これらに少なくともアンデス文明と黒人アフリカ文明を加えて頂きたいと、私は思っています。

因みに、ここにマーティン・バナールの『ブラック・アテナ―古代ギリシャ文明のアジア・アフリカ的ルーツ』（一九八七年、Free Association Books、二〇〇七年五月初版、二〇〇七年再版、新評論）という本があります。アテナというのは、みなさんが普通アテネと呼んでいるギリシャのポリスの一つで、今は首都となっていますが、正確に発音するとアテナとなります。そしてそのビーナスがブラックだというのです。びっくりなさるでしょう。マーティン・バナールというイギリス出身で、アメリカのコーネル大学の先生が、やや書きなぐった感のある分厚い本です。この本の表紙の写真をみて下さい。皆さんご存知の「ミロのビーナス」です。ところがマーティン・バナールが主張しているミロのビーナスは実は黒人だったという話です。パリのルーブル美術館所蔵のミロのビーナスは確かに白人です。ところが本当は黒人だったというのです。

実は片岡は監訳者としてこの本の翻訳に関わりましたが、『ニューヨーク・タイムズ』で取り上げられ、日本でも研究者や文明学者を中心に広く識者の注目を集めました。何故なら、本書が従来のアーリア・モデルから修正古代モデルへの転換を提起しているからです。しかし残念なのは、欧米人の名前が引き合いに出されている一方で、彼の新説に大きな影響を与えたと見られるシェック・アンタ・ディオップの功績への言及が、一言も見られなかったことです。私はそこに近代以降顕著なヨーロッパ文化中心主義の蔭が見え隠れしているように思うのです。私一人の偏見なのでしょうか。この機会にあらためて少なくとも六大文明と、ご認識いただきたいと思います。

それにつけても、嫌でも思い出されるのが、筆者の最初のアフリカ留学の折の日本人識者の反応です。私が黒人アフリカを最初に訪れたのは一九七三年のことですが、当時の動機はセンベーヌ・ウスマンという作家に会いたいという思いからでした。教授会に申し出て、結果的に許可されましたが、一部の人たちの間での冗談だったのかもしれませんが、「お前のような華奢な人間を首狩り族などが住むアフリカに留学させて良いものか」と言わんばかりの反応を示す同僚もいました。もとよりそれが当時の日本のアフリカに対する一般の常識でもありました。流石に声を出したりはしませんでしたが、「そんなことはありませんよ」と学部長の顔を見据えた覚えがあります。しかし私自身も初めてサハラを超えて黒人アフリカへ足を踏み入れた時に、不安がまったくなかったとは言えないかもしれません。

事実、まずパリであらためて情報を集め、北アフリカのアルジェリアに二週間滞在し、サハラ砂漠のオアシスの町ガルダイアを訪れて地慣らしをし、さらにモロッコにも立ち寄り、カサブランカや地方古代都市ヘスや観光地として知られるマラケッシュにも立ち寄った後に、サハラ砂漠を越えてアフリカへ向かったわけです。こうして私のアフリカ詣は以来四度に渡ります。その詳細は拙著『アフリカ―顔と心』（一九八六年、新評論）に凡そ載っていますので、そちらを参照頂ければ幸いです。あらためて強調させて頂きたいのは、最古の人類文明とも言うべき「黒人アフリカ文明」の先駆性で、これを含めて人類文明は少なくとも六大文明だということです。

最後にいま一言付言させて下さい。いま「黒人文明」と申し上げましたが、北西アフリカ（いわゆるマグレブ諸国）で、今でも脳裏に深く刻まれているイメージがあります。例えばアルジェリアの砂漠の町ガルダイア、それにモロッコの古代都市ヘスでの経験です。いずれも砂漠に寄り添うように造られた街ですが、風に揺れる椰子や石壁、それに城門に囲まれた古びた街に夕日が差し込み、照らし出されたその景観は、長いバスに揺られ、突然の異文化に圧倒された筆者を、その胸に貯め込んだ知の塊と共に、一気に吹き飛ばし、もはやこの世のものとも思えぬ敬虔な感動を与えてくれました。そしていま歩いて来た石壁に囲まれた鄙(ひな)びた街並みや椰子の根元の土くれが何より掛替えのないものに思えて来たのです。

宿に帰った私は思わずノートに次のように記したものです。

「失われた故郷、東京。林と森と草地の広がる戸山が原。そのすべてを開発で失った東京。いま私のふる里は東京にはない。西の果てなる、まさにここに在る」と。

自然の営為を疎かにし、資本の蓄積と経済成長に狂奔して来た欧米、それを模倣し、歴史に学ぶことを忘れた地震列島日本、政治権力に現(うつつ)を抜かし責任を取らない政治屋、それを知ってか知らぬか人知に縋る知識人、ひたすら日々の糧を求めて齷齪(あくせく)と働く私たち市民に未来は在るのか無いのか。私たちはいったいいま何処へ向かって行こうとしているのか、このまま時が過ぎて行くのを座して待つしかないのか。いずれにしろ人間が蒔いた種は、人間にしか刈り取れないことを肝に銘じなければならないと思います。

ご清聴まことに有難うございました。

（二〇一七年三月四日）

世界はいま、そして私たちの未来は

一、ＧＡＦＡの独占とアメリカ・ファーストに陰り！

いまや四強ＧＡＦＡは、ソーシャル・メディアのシェアを独占して巨大な利益を上げ、入手金・労働法の適用の特例を認めさせて、野放図に膨大な資金を集めている。しかも世界の優秀な人材を独り占めしたうえ、この四年間で一兆三千億ドルを稼いで、株価でも世界ベスト二〇位中一二位のロシアのＧＤＰに匹敵するものとなった。流石に世界の厳しい世論に晒（さら）されているばかりか、自国の政府権力さえ脅かす存在になった四強に対して、地元のアメリカ政府も規制に動き出す事態となっている。一方、Google がスーパーコンピュータをはるかに凌ぐ量子コンピュータの技術開発に取り組むニュースが話題となり、ＡＩの進化としても新しい局面を迎えている。例えば、将棋やチェスの世界に加え、展開が複雑と言われる囲碁においても名人クラスが次々に敗れているばかりか、医療診断においてＡＩ〝ワトソン〟が大腸検診で画期的な能力を発揮することが話題になった。

なお今後ＡＩがゲームの類に限らず、人類の生活や生命身体に有効な多分野に更なる飛躍的貢献を齎すか、あるいは逆に解決すべき新たな課題に直面することになるかなど、不透明な部分も少なくないだろう。

一方、国際関係をめぐるインターネットの世界でも、アメリカ四強の独走を許さない新しい動きがアジアの金融市場で見られる。これまでアマゾンの決済では、米ドルをはじめ、その影響下のドルが五割を占めて来たが、それに代わって中国の「元」が大きく割り込んで来ている。一例だが、香港で出稼ぎ労働者として働いていたフィリピン人の母親が自分の稼いだお金を息子に送金する際に、米ドルではなく、「元」仕立てで為替を組んでフィリピンの息子宛に送り、そのお金が無事子供の元に届き、母親をはじめ親族一同大いに喜んだという事例が話題になった。例えばアセアンで大きな影響力を持つシンガポール政府もこの話に喝采を送ったと言う。その背景には、「元」がドルの変動相場制の影響下から解放されたという利点も指摘されている。

今日、世界諸国で流通する通貨は二一種類あると言われているが、それらを幾つかのグループに分けると、ドルグループ（米ドル、カナダドル、オーストラリアドル、シンガポールドル、香港ドル、ニュー台湾ドル）が多数を占める。次いでヨーロッパ諸国全体を束ねるユーログループ、北欧三国のクローネ、ロシアのルーブルなどなどである。これまでは、これら一握りの大国が、牽制しながらではあるが、世界の地域諸国に対して言わば少なからず「その金融覇権」を主張して来たと言える。しかし今後は東南アジア諸国をはじめ、習近平が影響力を強めようとしている「一帯一路」対象諸国に対して、中国の「元」が新しい世界通貨として幅を利かしてくるであろう。特に技術移転の規制を声高に「アメリカ・ファースト」を喧伝するトランプのアメリカには少なからぬ打撃を与えるであろう。例えば、最近Facebookが独自の新しい世界通貨リブラを大胆にも発表し、世界を驚かせた。流石に世界の反発は強く、ＥＵは即座にその流通を拒否した。

歴史を振り返れば、一九七一年アメリカの大統領ニクソンが、経済財政危機を乗り切るために、それまでの金本位制を廃止した影響が少なくない。これまでは、三五ドル紙幣を一オンスの金と代えることが出来たが、彼の金融政策の転換によって、例えば日本の金融市場では、それまで一ドル三六〇円だったものが二四〇円に一気にドル安に転じ、その後も米ドルは下げ続け、今日では一ドル一〇五円から一〇八円の間を上下している。以来、米ドルのみならず各国の通貨も一部を除き、変動相場制に移り、通貨の裏付けは各国政府の中央銀行の保証によって辛うじてその信用を担保している事態を招いた。四強の一角Facebookは、まさにドルやユーロの「危(あや)うい不安定性」を衝いたものと言えよう。今後も世界の金融システムの動きには充分注視していかなければならないであろう。

今や世界中に海底ケーブルが敷かれ、インターネット網が世界中を駆け巡り、それによって世界経済も大きく発展したとも言えるが、その利便性を衝いた〈ＧＡＦＡの暴走〉にも、一層の注意を払わなければならないであろう。すでに一部の専門家の間では「GAFAが世界を変える」という言説までが流れ、いずれはそれが現実のものとならないとも限らないからである。

二、「公共放送」を声高に繰り返すNHKのいま一つの顔！

最近のことである。ある日肺炎から回復しての退院後、予後のために床に伏していたが、そろそろメールチェックでも始めようとデスクの前に座ったとき、突然目の前の受話器が鳴り出したのだ。恐る恐る受話器を取ると、受話器の向こうで名前も名乗らないまま滔々（とうとう）としゃべり出した。大阪市内の電話番号が表示されていたが、記憶にない番号だった。要約すると「ノーベル文学賞が貴方の推薦している詩人に決まると、私どもが撮影用のカメラを携帯してお邪魔するが、そのためにも受信料を払っておきなさい！」というものであった。筆者は唖然として一言も返答しないまま電話は切れた。

すると数日後に京都支局の営業課の方が来て、受信料を払えと宣（のたま）ったのである。まだ体調不良で床に伏していると訴えて、取り敢えずお帰り願った。因みに「電話を頂いた方は？」と聞いたが、それには答えずNHK京都支局営業部の長谷川と記したメモ用紙をドアポケットに入れてお帰りになった。しかし電話を掛けて来た人物が誰かは判然としないままである。

筆者には受信料を保留してきた理由があった。家族の事情もあって、枚方市内に移住して来たときのことである。ご近所さんの所に突然NHKと称する人物が来て、「受信料を払わないと、近所に言い触らすぞ！」と脅されたという話を聞かされていたのである。とんでもないNHKだと思った。

次に京都に移り住んでからのことだ。実は、筆者の尊敬する「知の巨人」を追悼する記念講演会のときである。筆者は恩師の膨大な業績の一端を資料と併せて紹介する役割を担った。追悼会が盛会裏に無事終わったときである。生前恩師を担当していたNHKのS記者も出席していて、閉会後に筆者に一言声をかけた。「実は私どもも自己規制して編集しています」とそっと筆者に明かしたのである。

さらに最近のことである。その詳細はここでは割愛するが、〝ハフポスト〟なる外国の通信社が、「森友学園問題を追及したNHK大阪の政治司法担当のチーフ（相沢さん）が記者職を外されたわけ」と題する、かなり長文のインタビュー記事を掲載した。そこには次のように記されていた。相沢記者のインタビュー内容を放映したことで、上司の部長が東京の報道局長に「俺は聞いてないぞ！　お前の将来は保障出来ないぞ！」と恫喝されたという内容であった。「公共放送」を声高に主張して止まないNHKではあるが、取り敢えず「受信料」は払うと伝えた上で、NHKを厳しく批判し糾弾するスタンスも、抜かりなく臨もうと心に誓ったことは言うまでもない。

もとより外国の某詩人への敬愛の気持ちと、その日本での紹介の労を筆者が執ってきたこととは全く関係ない話である。アドニスはすでに九〇歳になる。そろそろノーベル賞とも縁遠くなって来ている。また「ノーベル賞」を有難がる日本人にも少々お別れしたい気分である。

それとは無関係ではあるが、最近痛快な事例に遭遇した。ある日気が付くと、近くに移り住まわれて来た方の玄関のドア横に、何と〝NHK撃退劇〟なるステッカーが貼ってあったのである。ご挨拶に伺うと一時的な滞在だと言う。中年のご婦人だったが、筆者には到底及びもつかない見事な意思表示だと感じ入った。しかし残念なことに、それから間もなくその方は引っ越して行かれた。

さて、今なお一人受信料の支払いを断っている知人（年配の女性）がおられる。「NHKの放送を見られなくする」と言うなら、見ないと明言する。筆者はニュースは他の民放の解説付きのものを見ることにしているが、ドキュメンタリーなどは外国での取材費用が莫大になると思われるので、さすがに「広告費」で賄う民放では、なかなか立ち行けないスケールのものを見せてくれる。

以前筆者の恩師の一人が、若い女性がNHKのバッジをこれ見よがしに胸に付けて街を歩いているのに出会うが、実に鼻もちならないと述べたことがあった。メディアの世界に圧倒的な地位を占める天下のNHKの上司とも責任者ともあろう人が、何故にこれだけの多くの国民・市民の受信料辞退の思いが理解できないのであろうか。権力者に遠慮して中途半端な報道でお茶を濁す一方で、「公共放送」と嘯（うそぶ）く彼らの上司に、このまま天下の放送局を欲しいままにさせて良いものであろうか！　年金暮らしの筆者も細やかながら収めている税金ではあるが、まずはその多くを受け取って運用しているＮＨＫ、そのなかでも責任ある地位に在る者たちへの不信の念は、残念ながら弱まることはないであろう。

三、医療は仁術か算術か　―日本の希望と現状と問題―

今なお世界を席巻しているCOVID-19の患者の治療に昼夜を分かたず身を粉にしている医療従事者の皆様には心底頭が下がる。その一方で、後に指摘する都府県市長を始めとする政治行政の不手際も無視できない。それには依然として改善されない政官財の負のスパイラル、日頃から国民・市民の生活の実態に無関心のまま うつつを抜かしている行政と官僚機構の怠慢に及ぶことは明らかであろう。トップの一部の事務次官が職を辞して後に、その実態を明かすことでどれだけの意味があろうか。そうしたパフォーマンスに国民・市民が騙されることはないであろう。いずれにしろ、長きに渡り日本社会を支配してきている、政官財の悪しきスパイラル（三角関係）の監視を怠ることなく続け、政治権力を国民・市民の手に取り戻さなければならないと思う。来年には国政選挙がある。筆者や知人たちの断固とした意思によって、今日見られる悪しき与党連合に大きな風穴を開けなければならないと思う。

前置きが長くなってしまったが、そういう日本の経済社会を背景に病院経営に難儀をかかえている医療従事者にも少なからぬ影響が散見される。以下はその一端を指摘して、なお一層の医療従事者の「良心に照らして恥じない」市井の良民に対する適切且つ丁寧な診療を心がけて頂きたいと切に願う。

（一）歯科医の事例

ある日紹介されて歯科医を訪れた。まず年配の老練の医師が一通り見たうえで、新たに呼ばれた若い医師が筆者の治療を担当する医師として当てがわれた。ところが、すぐに接ぎ歯がしてなかった左隅下の歯を発見して、「抜いておきましょう」と告げたのである。痛くも痒くもない歯を「抜く」と言われてまず愕（おどろ）き、とっさに「少し考えさせて下さい」と答えて、その日の診療を終えて帰宅した。以来、いかに歯科医の選択が難しいかをあらためて考えさせられたのは言うに及ばないであろう。

筆者は齢八〇を超えて久しい。これまで何度も歯科医受診の経験がある。抜く必要のない歯を抜かれた経験も何度かある。「抜歯（ばっし）」は一種の手術であり、費用も馬鹿にならない。一方、若い歯科医にとっては経験を積むまたとない機会なのでもあろうが、当面筆者はそれに協力する気持ちにはなれない。

(二) 眼科医の事例

幸運にも住まいの近くに格好のクリニックがあり、時々通っている。筆者はパソコンの前で一日中向き合って仕事をしていることが多い。目に良い訳がない。近くの眼科医で見てもらっても、近くの眼鏡店で見てもらっても、左眼が〇・七か八、右眼が〇・五である。幸か不幸か、その老眼科医もまだ手術の必要はないと言う。一方、近くの眼鏡店の責任者も、「このまま一生変わらないでしょう！」と言う。

ところが、六〇歳半ばのご婦人は若い眼科医に「緑内障になる」と脅されて「手術」を受けられている。もとより人それぞれであろうが、筆者のように毎日パソコンの前に座って三五年、「白内障」と言われて既に二五年。ところが、この一〇数年眼鏡を変えたことがない。恐らく「白内障」に目立った進行が見られないからであろうと高を括っている。時々通っている近くの眼鏡店の店員も「このまま変わらないと思いますよ！」と言ってくれるからでもある。

(三)「泌尿器科」の過剰医療

数年前のことになるが、便秘が高じて腹痛を併発したので、行きつけの病院を訪れ、ことの次第を説明すると、大学付属病院の医師に至急来るように伝えてくれた。やがて件(くだん)の医師が来て私の腹痛の原因を突き止め、早速治療に取り掛かった。腸内に溜まり固くなった便を丁寧に掻き出してくれたのである。そこまでは実に適切な処置だった。ところが、それからがやや不可思議な処置が始まったのである。

まずペニスの細い穴に管を通したのである。痛いのを我慢していると、立ち会った婦長さんから、膀胱に「おしっこ」がたまっていたので、ついでに排出したとの説明を受けた。この処置は本人にとっては予定外のことであった。しかし、その後全く思い掛けない展開となった。ペニスの尿道口に長い管が突き刺さったまま、尿の大きな自然排出器を腰にぶら下げ病院を出ることになったのである。タクシーで帰らざるを得なかったが、それからの一週間余、外出は元より不可能で、訪れるヘルパーさんも何事が私の身に起きたのか心配そうにしていた。

要するに、京都大学医学部出身の若い医師は、このまたとなき機会を利用して、色々と試しつつ実績も付けたかったということが分かった。つまり発展途上の医師のために医療措置の実験台にされたということのようだった。この医師を呼び寄せた主治医の院長は既に帰路についた後であった。一週間後、当の病院を訪れ、器具一式を外してほしいとのみ願い出て、無事帰宅した。「この際、余計なことは今は言うまい！」と思ったのだ。すっかり解放されて、鼻歌交じりのご機嫌だったことは言うまでもない。一言付言すれば、医師を選ぶなら、出来るだけ経験豊かな総合医を選ぶこと、不安を覚えたら、躊躇（とまど）うことなくセカンドオピニオン、あるいはさらにサードオピニオンも頭の片隅に秘めておくことをお勧めしたい。実際にそうするかどうかは別にして、そういう心構えが自分の病状と冷静に向き合うことにつながるからである。

話は元に戻るが、数年前にベテラン総合医三名にパネリストをお願いして、『日本の医療の行方と日本人の死生観』と題するパネルディスカッションを主催したことがあったが、休憩後に質疑の司会者となった筆者が、神戸の病院長の総合医に、経験した事例を基に質問したところ、即座に答えが返って来た。

「私は特に肝臓がんの専門医ですが、これまで一〇〇〇人余の肝臓がんの治療に当たって来ました。しかし実に千差万別、ご指摘の通りなのです。ですから医師は一人一人の患者に日々向き合い、その都度学ばされることになるのです。『人生一生勉強』という言葉は、日々患者と向き合う医師にこそ相応しい言葉だと思います」と。

多少恐る恐るの質問だったが、このときの率直で誠実な医師の態度に、筆者は感銘を受け、日本の医療の未来に大きな信頼と希望を持ったことを明記しておきたいと思う。

そして、いま一つ心にとどめておいて頂きたいことが、「主治医は患者自身である」という言葉である。

四、青い地球の未来と人類文明の行方と希望

緯度の高い地点から夜空を仰ぎ見れば、満天に無数の星が天空を埋め尽くす。スター・ダストとは誠に言い得て妙である。私たち太陽系が属する「天の川銀河」も眼前に迫る。空は、未来は、この先果たしてバラ色なのか、あるいは灰色か。

これまで筆者は、「文明は他の文明の浸食を筌(うけ)て滅び来たのではなく、自滅して滅んだのだ」と述べたことがある。実はそれとは別の次元で、最近注目されている宇宙物理学上の看過できない話題があるので、以下その問題に触れておくことにする。

(一) 隕石落下の問題

一つは、これまでもしばしば話題にされてきた〈隕石の落衝突〉の可能性である。よく引用される隕石の落下事例は、六五五〇万年前に中米ユカタン半島沖に直径一〇㎞の隕石が落下したことで、恐竜以下地球上の大半が死滅したものである。現在では宇宙物理学の急速の進歩と共に、世界中に二四時間体制で天体観測網が張り巡らされ、宇宙からの異常な天体接近を注視している。もっとも人間のすることなので、うっかりも皆無ではない。一例だが、オーストラリアの観測所が一〇分前

後持ち場を離れていた間に、小惑星の落下を見落としたことがあった。幸い小さな隕石であったこと、落下地点が南アフリカのナミビア砂漠だったことで大事には至らなかった。小惑星だからと言って油断は禁物である。

私たちはかつて六五五〇万年前と言われる時代に、中米ユカタン半島沖に巨大隕石の落下により、齧歯類（げっし）の小動物以外は恐竜を筆頭に絶滅したという地球史上の経験を持っている。これと同規模、つまりユカタン半島沖落下の直径一〇㎞規模のものならば一億年に一度の確率で、直径一㎞のものは一〇〇万年に一度、直径五〇ｍのものだと、一〇〇〇年に一度の確率で落下すると言われる。事実、地球を含め太陽系内には大小無数の惑星が飛び交っているそうである。それ故に世界中の天体物理学者は、至る所に高度の天体望遠鏡を設けて必死の観察網を敷き、一六〇〇個とも三〇〇〇個とも言われる小惑星の動きを二四時間体制で注視しているのであろう。

(二) 危機迫るガンマ線バースト

次は、最近宇宙物理学で姦しく議論されている「ガンマ線」の問題である。それはこの広大な宇宙のどこからともなくやって来る凄まじいエネルギーを持つ天体である。それはこれまで話題にされた「超新星爆発」とは別の、それを遥かに凌ぐ高エネルギーの天体である。しかもこの恐ろしいエネルギーを持った光球が地球の方向を目指していることに、世界中の天文学者が注目している。

それが何処からやって来ているのか、またその光の明るさから桁外れな莫大なエネルギーを持っているだけに、仮にも地球に衝突すれば、地球の生死を分けるオゾン層が一瞬にして破壊され、地上の生命体はすべて死滅する。事実、考古学者によれば、数億年前の古い地層にその痕跡が明らかに残っていて、すでに私たちの青い地球がその先例を受けている事実が認められるとのことである。それだけに、世界の天文学者のみならず、この得体のしれない光球の行方に高い関心を寄せないわけにはいかないのである。つまり私たちにとって、「隕石」の落下・衝突のみならず、また太陽の爆発による太陽系の惑星の終末の前にも、幾多の試練に晒されている事実をしかと認識しておかねばならないのである。

(三) 地球温暖化が及ぼす影響

今まさに身の周りの問題になっている事柄に一言触れておきたいと思う。

専門家の指摘によれば、地下資源（石炭・石油・天然ガス・シェールガス）のエネルギー利用、人工有機化合物（ポリ袋、電話機、化学繊維、家庭電化製品、各種のプラスティック製品等々）の廃棄処分等々によって、大気中に、二酸化炭素（CO_2）、一酸化二窒素（N_2O）、メタンが多量に発生し、広範囲に温暖化をもたらしていると言う。

またその結果、産業革命以後地球の気温は五℃の上昇を記録し、南極の氷もグリーンランドの氷も溶けて世界中の海面がかなり上昇し、砂浜は減少し、ゼロメートル地帯は浸水して住居は消えつつある。さらには内陸でも地下水の汲み上げによって、広い範囲で地盤沈下が起き、工場も家屋も浸水の危機に瀕し、すでに用を成さなくなっている地域が増加して来ている。さらには近年の集中豪雨による、広範囲の浸水、山崩れ、さらには竜巻によって家屋の倒壊などの被害が激増している。

また、未だにニュースで取り上げられてはいないが、太平洋の小さな島々では、すでに水没して地図から消えて行っているケースもあると言う。これらはけっして遠い国の話ではなく、今都会に住んでいる私たちの紛れもない明日の現実なのだと肝に銘じておかなければならないと思う。

経済的利益を追求することを軽視して良いと言わないまでも、「アメリカ・ファースト」と声高に叫んで人気取りに専念する指導者にはさっさと退場してもらわなければならない。また、専ら自国の利益や権益に専念する指導者、またそういう政治家に煽られて、ナショナリズムを声高に叫ぶ市民はもはや「地球村」の住民足り得ないと言わなければならない。「地球村」や「グローバリゼーション」という言葉や概念を賢明にも発明し、またその事実や理（ことわり）を学習し理解したはずの私たちが、何故に政治や行政の不条理を許し、無関心を決め込んで、スマートフォンが提供する仮想現実に満足し、またゲームに熱中して止まないのであろうか。聞けば、スマートフォンを片時も離さず、時あらばそれを開いて興じるのは、今や若者に限らない。五〇代・六〇代の大人も例外ではなく、そのことにいささかの疑念や躊躇（とまど）いも覚えないそうだ。

ある知人のご婦人は「もう終わりです」、また別のご婦人は「もう諦めています！」と、もはや取り付く島もない！　筆者の知る限り、少なくともこの一〇年で社会は大きく変わってしまったように思う。

五、日本の政治行政の権力乱用の一端

(一) この間の政府与党の目に余る権力乱用

先に新しく自民党総裁に就任した菅氏は、首相としての仕事初めに、「日本学術会議」の選任について、これまでの慣例を破り、推薦された一〇五名の内六名を拒否した。自民党の最右翼と見られていた中曽根首相も「内閣総理大臣は学術会議から推薦された学者を形式的に承認するだけです」と述べている。彼に限らず歴代首相はそうして来た。ところが、菅首相は六名を拒否した。しかもその理由を「総合的俯瞰的観点から判断した」と述べ、それ以上の説明を拒否し続けている。もとより学術会議は納得せず、さらなる具体的な理由を正したが、「法に従ったまで」と逃げの一手を打った。任命を拒否した六名の科学者の業績を評価する能力を持ち合わせ得ない政治家には、科学者の視点からその適任性を判断し得ないことになろう。そこで筆者に限らず、今回の首相の判断の背景には、科学者の社会的発言、特に政権への批判的意見の表明がかつてあったことが気に入

らなかったのではないかという識者やジャーナリストの意見が多くを占めるに至ったのであろう。

少し前になるが、安倍元首相が、その在任中に法制局長官を更迭した上で、検事長の人事に手を染めるという、これまで抑制されて来た検察人事に政治権力を振りかざした経緯がある。いずれも任に当たる機関から大きな反発を受けた。かつて筆者の近くで、出身を同じくする法務大臣から、すでに検察が起訴を前提に取り調べていた人物について「何とかならないか」という意見が寄せられた記憶がある。これは一例に過ぎないが、国民から選挙で選ばれた有力な政治家だからと言って、それぞれ独立した組織の人事に対して、その時々の思惑で好きに権力を行使して良いことになれば、三権分立の原則や学術研究の自由と独立が大きく損なわれることになるのは必須である。国民にとっても国家の発展にとってもマイナスであり、不幸である。

今回狙われた「日本学術会議」について言えば、人文社会学、政治経済学、自然科学など、分野の異なる科学者が集まり、学際的な議論を重ねる。その上で、その成果を私たち社会に寄与し還元するために、数千に上る「提言」を行うのだ。このような社会的貢献は、一学会や一科学者集団によっては果たし得ないものである。この事実を踏まえて、「日本学術会議」が創設されたのだと思う。その意味でも、政官財がこぞって支援することが求められているのだ。にも拘わらず、今回のように六人の学者がこれまでに行った社会的発言が気に入らないと言わんばかりに、首相の権限を利用して、拒否権を行使したのである。このような暴挙は、国にとっても国民にとっても不幸であるばかりか、戦後日本の歴史上の汚点ともなりかねない。残念の極みと言わざるを得ない。

幸いにして、その後、菅総理の足元からこの事態を懸念する有力な異論が出された。自民党幹部の一人、元企画庁長官の船田元氏からだった。一〇月二一日付けの毎日新聞によると、「〝イエス〟という人だけで固めるなら学術会議の価値がなくなる」として、氏は次のように述べている。

「私は一九八三年に会員を公選制から任命制に変更した際に、当時の国会審議に衆院文教委員として関わった。審議のなかで、当時の丹羽兵助総理府総務長官や高岡完治内閣官房参事官から、学者の方から推薦していただいた方に対して、拒否はしないという発言があった。つまり形式的任命制であると、答弁していただいたことを覚えている。

また（当時）任命制に変更するにあたり、政府によって恣意的な任命が行われるのではないかという懸念があり、学者からも強い反対があった。このため政府側は〝形式的任命制〟を強調して収めた経緯がある。法案審議の一番の肝だった。

（その後）二〇〇五年に推薦方法に変更があったが、推薦であることに変わりはなく、〝形式的な任命制〟という答弁はずっと生きていて、有権解釈として成立していた。（仮に）任命する際に政府が選択できるとするなら、明らかに解釈を変えたことになる。歴史的な経緯があり、そう簡単に変えていいものではない。（また）必要があって変えるのであれば、どういう理由で変えたのかを公にしたうえで任命しなければ、私は〝闇討ち〟だと思う。

学者には研究の成果をどのように役立てるかという観点がある。だからどんな時代であっても、時の政府の判断やコントロールから独立して存在している必要がある」

誠に道理に叶った発言であり、鯛も未だ腐りきっていないことが分かって、少々ほっとしたところである。

（二）議員定数は多すぎるのではないか

上記の菅首相の発言を巡って、メディアでは賛否両論が紹介されている。有力なあるメディアのコメンテーターの一人は、「（科学者には）金は出すが、口は出さないというのが政府の立場でなければ、憲法が保障する『学問の自由』は守られない」と述べた。しかしその一方で、こんな意見があった。「一〇億円余を〝学術会議〟に渡しているのだから、首相が拒否権を行使するのも許される。それが嫌だと言うなら、自分たちで会費を集めてやれば良いのではないか」というものだ。

しかし各学会は会費制で運営されているが、その上に「学術会議」にまで会費を出して参加するのは、学者にとって二重三重の負担になる。筆者にも経験があるが、教員には一定額の研究のための出張旅費枠があるが、多くの場合赤字になる。また複数の学会に入れば、それだけ経費は膨れてさらに負担増になる。さらに海外出張ともなれば、文部科学省などによる助成制度はあるものの、その枠は狭く、多くの場合自己負担で行くことになる。加えて「学術会議」に推薦されて入れば、それだけ仕事は増え、研究費だけでは到底賄えなくなる。それでも社会的貢献の観点に立って出張費も自前で負担して参加することになるのである。そういった実情をおそらく上記の評者の一人は知らないに違いない。

一方、国会議員は衆参合わせて七一三人、彼ら一人当りの経費が五億四千万円余、そして彼らの経費の総額は三八七五億円余、すべて税金で賄われている。豪華な官邸に住まう特別職の首相に至っては想像に難くあるまい。しかしその菅首相は、「学術会議」が推薦した一〇五名の新規会員の内六名を具体的理由を明かさないまま任命を拒否した。前例のない事態である。「学問の自由」とは関係ないと主張するが、科学者も等しく持つ「思想信条の自由」に触れることにもなるので、拒否した本当の理由を言えないのが実情であろう。それがまた大方の識者が指摘するところとなっている。

(三) 京都市内のコロナ感染クラスター事案

最近知らされた上記事案については、まさかと筆者も驚いている。お世話になっている知人から聞かされた話だが、今から二週間前に仕事で訪れたM医院のドクターによると、市内の私立M高校でクラスターが発生し、生徒、教職員、生徒の家族、併せて五〇名が集団感染した。ところが、以前に京都産業大学の例が世間に大きく報じられて、大学がイメージダウンを被った例を教訓（？）

にしてか、京都市（門川大作市長）に頼み込んだ末、隠し通したのだそうだ。市役所は市の医師会を通して事実を把握していたであろう。

この間、高校側から市役所、あるいは関係機関にどのような工作が為されたかは不明のままである。ここにも、中央省庁や官邸に劣らぬ闇が、国民や市民に詳（つまび）らかにされぬまま覆い隠された事例がある。それにつけても、筆者の敬愛する井上ひさしさんが、生前筆者に吐露した「人生は悩みと苦しみと悲しみのみ！」という言葉が、あらためて胸を衝く。また最近巷に流れている「どうしようもない社会」という言葉が胸に突き刺さったままだ。かつて学友の一人に、筆者自身の力不足を指摘されたことも思い起こされる。少々気が滅入るが、事実を率直に申し上げたうえで、今日このような社会を生み出した者たちはどこに姿を忍ばせているのか、まずはその正体を焙（あぶ）り出すことから始めなければならない。困難な作業になると思慮されるが、努力を惜しんではいられない。追及の手を緩めることも、諦めることも許されまい。同志の友人・知人、そして読者の皆さんと共に連帯して知恵を出し合えば、不可能なことではないはずだ。まずは自らに誓を立て、皆様にもご助力をお願いして、取り敢えずここで筆を置くことをお許し頂きたい。

（二〇二〇年一〇月二二日）

アフリカの文化とわれわれ

―センベーヌの人と作品から―

フランス文学の研究者である筆者が、なぜアフリカ文学にひかれ、一五年後の今日もアフリカ文学にかかわり続けているのか。昨年これまでにアフリカについて書いた文章を半分ほどまとめて一冊の本にしたとき（『アフリカ・顔と心』一九八六年四月、青山社）、苦しまぎれの中間総括のようなものを「あとがき」に書きました。そのなかで筆者は、先進国と発展途上国の社会的上昇力を問題にして、「仮に文学に未来があるとすれば、それは日本やフランスにではなく、むしろアフリカにこそ期待できる」と述べています。

そういう筆者の個人的事情や思い入れは別にして、今ふりかえってみると、今日の時代の大きな流れのようなものがその背景にあったことを感じないわけにはいきません。最近の外務省の世論調査は、国民の外国にたいする関心が多様化した事実を示し、アジア、アフリカなどいわゆる第三世界への関心度が高まっていることを指摘しています。また、最近の新聞、マスコミの国際面でのこれら地域のにぎわいも目立っています。これらの国々での事件や不幸な出来事は、植民地時代の昔から少なからずあったはずですから、今日のマスコミでの取材は、これらの国々や地域が国際的にも影響力をもちはじめ、日本にたいしても無視できない比重を占めるにいたったことを示していることになります。

アフリカについて言えば、先の世論調査で、昭和五九年まで四〜六%にとどまっていた国民の関心が昭和六〇年に一挙に一七%を超え、アジア、アメリカ、ソ連・東欧に次いで第四位に上っています。昭和五九年の「アフリカの飢餓問題」が国民の関心を押しあげたと思われますが、今年の調査でも一一・四%と依然高位（第四位）にあり、日本の国際化もいよいよ遠いアフリカに及んだ感を深くするわけです。アフリカ文学を読み、論じてきたフランス文学研究者の個人的事情を越えた大きな時代の流れのようなものを感じないわけにはいきません。またそれと共に、日本に流入してくる多様な異文化がわれわれにたいしてもつ意味をあらためて考えさせられる機会が、以前にもまして多くなったように思います。

一九八四年春に来日し、日本にもすでに馴染みのできたセネガルの作家・映画監督センベーヌ・ウスマンは、日本での講演のなかで、日本における伝統文化と高度の技術開発の併存を、他に例を見ない見事な調和だと讃辞を送りました。黒人アフリカ唯一の博学な映画評論家ヴィエイラも筆者に同じような指摘をしました。しかし同時にかれらは、日本人にできたことがアフリカ人にできないはずはないと言い、飢餓についても外国は手を引いてわれわれの自立を黙って見守ってほしい、その方が解決は早いと述べます。この、相手に讃辞を送る余裕と、他を頼まない自立への自信と誇りは、貧困と対外債務を抱えるいわゆる発展途上国の指導者のことばとは到底信じられないでしょう。これを強がりと言えばそれまでですが、そこに見すごしてはならないわれわれにたいする教訓が隠されているようにも思うのです。

一九八四年の訪日後、パリに立ち寄ったセンベーヌは、エコール街のプレザンス・アフリケーヌ社で、筆者に会いたいと電話をかけてきました。三月のパリにしてはいやに春めいたその日のことを今でもよく覚えています。

『消えた郵便為替』（一九八三年九月、青山社）の著作料をめぐるプレザンス・アフリケーヌ社側と青山社側との間の見解の相違を筆者が中に入って調整しなければならなかったのです。双方のやりとりの詳細は割愛せざるをえませんが、結局双方が原則的立場を主張しつつ、筆者が個人的解決案を提案しました。ディオップ社長（故人となった創設者アリウーヌ・ディオップの未亡人）は、筆者の提案を退けたうえで、「美しい本にしてくれてありがとう。しかし、アフリカなど第三世界の出版物が正当な著作料（翻訳料）を支払われていない現状も十分理解して下さい」と発言して、この問題は一応の結着を見たのでした。

このあと近くのカフェ・バーでビールを飲んだあと、筆者はサンジェルマン通りをセンベーヌと歩いて、オデオン近くのかれのホテルに向かいました。かれは途中で突然足を止めると、「君聞こえないか」と聞いたのです。人と車の往来のはげしい大通りで一瞬聞かれた意味を判じかねていると、かれは嬉しそうに言ったのです。「鳥の鳴いているのが聞こえるだろう……これがパリさ」真昼の雑踏で高い木の上の小鳥のさえずりを聞き分けることは至難の技です。それをかれは子供が大事なものを見つけたときのように、身体でよろこびを表わしながら言いました。一九五一年『アクシオン・ポエティーク』誌創刊号に「自由（モメ・カポプ）」という題の詩をかれは発表しています。それ以後かれの詩の発表はありませんし、著作権をめぐる厳しい議論のあとだけに、反植民地主義文学の旗手として知られるセンベーヌの意外な側面を見せられて、心が大いに騒ぎました。

エコール街から地下鉄のオデオンまでは駅で二つ三つの距離ですが、すでに名士のかれは途中で何度か人に呼びとめられ、かれのホテルに辿りつくのに一時間近くもかかってしまいました。モリエールという名はついていましたが、ホテルとは名ばかりで電話帳にも載っていない代物でした。因みに電話帳には、オペラ座近くのモリエール街にある三ツ星のホテルと、他にもうひとつ載っていましたが、これとは全く関係がありません。間口が一間半余り、人ひとり辛うじて通れる狭い通路が奥に通じていて、あとは部屋への階段と廊下があるだけです。迷路のような狭い通路を通ってかれの部屋に着くと、かれは筆者にこう打ち明けてくれたのです。

「自分がアフリカからパリにはじめてやってきて職を求めていたとき、凍えるようにひもじい思いをしていた自分に黙って暖かいスープを出してくれたのが、このホテルのマダムだったんだ。彼女はすでに老いてここには居ないが、彼女の親切が孤独で貧しい黒人の若者をどんなに力づけたか知れない。以来、二十五年パリに来れば、かならずここに泊まることにしている」

自分のことを語ることの少ないセンベーヌが、このように心情吐露することもまた珍しいことでした。筆者をじっと見るかれの目は、ぼくはそういう親切な彼女の個人的な行為だけをただありがたいと思っているだけではないんだ。シトローエンの自動車工場の貧しい臨時工員だった自分が、今はアフリカを代表する作家・映画監督になっているんだけれど、どんな仕事をする場合にも、そういう人間性の基本的価値を大事にして決して忘れないようにしなければならないと思うんだ。そのことを教えてくれるのがこのホテルなんだ、と言っているように思えました。

センベーヌ・ウスマンをどのように評価するかは別にして、またその見方・立場によって評価の重点が異なるのは当然ですが、かれがつねに「民衆の側に身をおいて」仕事をしてきたことは紛れもない事実でしょう。そのようにかれが民衆に心を開き、かれらの現実に依拠して作品を書き、つくってきたからこそ、かれの文学や映画が反植民地主義のイデオロギーの枠を越えて、ひろくわれわれに訴えかけてくるのだと思います。しかもかれが民衆と言う場合、その根底に女性の存在があります。筆者との対談のなかで、「女たちはあるひとつのことを始めると、それを徹底的にやることができます。意志の堅固さ、堂々とした態度、優しさなどをよく発揮するのです。そういう女たちがしかるべき役割を担って男以上に活躍するのは当然のことなのです」と述べていますし、『ポジティフ』誌での対談のなかでも、「大事なことは、今日われわれのなかに生きつづけている美徳はすべて女たちによって守られてきたということです。わたしたちの社会が進歩するとすれば、それは女たちの力によってだと思います」と断言しています。

筆者も最近「センベーヌ・ウスマンの文学とアフリカの女性像」（『箱舟、二一世紀に向けて』所収、一九八七年六月、門土社）を書いてみて、アフリカの女の力とその重要性をあらためて認識させられたところです。筆者はその結論部分で、「生み、育て、生産する、この西アフリカの女たちのしたたかなリアリズムは、共同体の危機を救うために、（小田原評定にうつつをぬかす）男たちになりかわり、また男たちを引き具してでも、その持てる力を発揮しないわけにはいかなかったのである」と述べました。ここに引用された「西アフリカの女」とは、映画『エミタイ』に登場する農民です。実は筆者は、『神の森の木木』に登場する鉄道従業員の女房たちと街の女ペンダ、『熱風』の小学校教師チウンベ、そして最後に『エミタイ』の農婦たちに辿りついたところで、はじめてアフリカの女たちの力の秘訣を、まさに目から鱗がはがれるようにはっきりと教えられたのです。

映画『エミタイ』（一九七一年）は黒人アフリカ最初の長編カラー映画ですが、一九八四年の日本での初上映以来、その評価は評論家や映画ファンの間で大きく二つに分かれているようです。最近筆者は大阪での映画会に招かれ話をする機会がありましたが、やはり同じ傾向を示しました。「技術水準が低い」という評と「アフリカの歴史と現実を教えられた」という評です。テレビ映画に見馴れたわれわれには、この映画はスピード感のあるアクションもなく、多彩な見せ場もなく、したがって色褪せて見えるかも知れません。

しかし、『エミタイ』は、人口六〇〇万のセネガルだけでも延べ一二〇〇万人が見ているのです。実際に西アフリカのある国でこの映画を見た日本人は、映画館はいつも超満員で、ある時はゲラゲラ笑い、ある時はみんなでそっと涙をぬぐう光景が見られたと言います。日本ではあまり評判のよくないこの映画がアフリカでは空前のヒットをみているという事実、つまり日本とアフリカでのこの明確な文化の差異を、またその意味をどのように考えたらよいのか。最近筆者はそのことばかりを考えています。

（一九八七年）

なぜアフリカだったのか、またなぜ今アジア・アフリカなのか
―己を顧み、これからの世界も考える―

第一部　なぜ、アフリカだったのか

はじめに

普通、人は与えられた環境（家庭・学校・地域・職場など）のなかで、それぞれの習わしに従って生きる。そして普通はそのおかれた社会でその役割を果たし、あるいはそのリクエストに応える形で自分の生活なり、社会生活を送る。しかしそれでも、人の人生だから、時には予期せぬ立場に立たされ、思わぬ行動を取ったり、あるいは自分でこう在りたい、こういうことに挑戦したいと考え、思い切った行動を起こすこともあるだろう。その結果が幸か不幸かは人さまざまで、運次第ということもあろう。

私自身について言えば、ようやく世間の生業を終え晩年を迎え、あれこれ振り返ると、多少とも予期しない経験に出会ったり、あるいは自分の考えでこうしたいと考えて、行動を起こしたことがあったと思う。そのなかでも、私の四一歳の時のアフリカ行は私自身の生涯に一つの転機をもたらした事例と言えるだろう。今回親しい仲間の皆さんから、その話を聞いてみたいと言われた。お許しが得られるなら、求められている本題に入る前に、そこに至る前段の経験についても少しお話しさせて頂きたいと思う。

一、青春時代のこと

小学生の頃まったく勉強をしないガキ同然だったことの反動で、中学に入った頃から急に自分の生活に変化が起きた。まず焼け残った『漱石全集』を読み、また学校の帰りには、焼け跡に建ったばかりの書店に立ち寄って、文芸雑誌の類を立ち読みし、棚に並んだ世界文学全集を少ない小遣いで買って来ては耽(たん)読した。例えば『狭き門』、『罪と罰』、『赤と黒』などである。その後家庭の事情で高校を中退して働いたが、後に公立高校への転入学が許された。その時の面接試問で「好きな日本の作家の作品は?」と聞かれ、「泉鏡花の『高野聖』」と答えている。面接した先生が「えー?」という顔をしたのを今でも覚えている。その頃読んで印象に残った作品を、正直にというか、とっさに答えたのである。幸い当時としては例外的な編入学が許され、教室の最後列に座らされた。少しだけ年を食った筆者はクラスのある生徒から、「あなたは三〇歳に見える」と言われるくらい、老けて見えたらしい。

実はその頃から、前に学校で常に一番だった親友が「おれは大学などには行かない。将来絵描きになる」と彼の夢を語り、常に一歩遅れを取っていた筆者も「おれは小説家になる」と答えたのを覚えている。そのとき交わした固い契りは、当然のように計画通りになるはずであった。事実彼は画家を目指し大学受験をしなかった。ただ生業のために、その後さる大手の広告会社で研究部長の職責をこなしながらも、デザインや絵の修行を続けた。一方筆者はと言えば、高校時代から詩や小説を書き始め、卒業すると、母親の友人の伝(つて)で最高裁判所の書記に就職が決まった。細やかながら安定した生活を得ながら作家修行に入る希望が見えたと喜んだものである。ところが、その話を聞きつけた関西の義兄から待ったがかかった。彼は当時さる国立大学の教授職に就いていた。この話は本人を差し置いて、家族会議にまで及び、画家志望の親友にも「医系や理系の大学を出ながら立派な作家になった例もある」と説得され、家族全員からは「小説家で身を立てるなどと寝言を言っていないで、ともかくまずは大学に行きなさい」と迫られた。この周囲の硬い意思に逆らえるだけの根性はまだ出来ていなかったということだろう。こうして私は作家への夢を断ち切るために大阪に下ったのである。

大阪では理系の学部に入学することとなった。文学は許されなかった。物理・化学や数学、それに英語・ドイツ語・フランス語の語学は勉強になった。しかし義兄が指定した化学専攻にはどうしても馴染めず、ついに二年後に、意を決してお世話になった家を出てしまったのである。当時そういう制度はなかったが、幸い医学コースの学生も文学部への編入を希望したため、例外的に認められ仏文科に入学した。それからは食うや食わずの貧乏生活の連続だったが、卒業間際に肩を叩かれて大学院にも進学した。入学金を結婚したばかりの年上の女性同級生に借り、ギリギリの貧乏生活は続いたが、幸い先生たちに可愛がられ、あれこれ有利なアルバイトを紹介され、奨学金（育英資金）も併せ、生計は何とか立てられた。愁眉を開いたと言えようか。その後幸運にも大学教員の席に恵まれ、作家の夢ではなかったにしろ、文学に親しむというか、文学を研究する仕事には就けたわけである。とは言え、画家志望の親友の遠くからの励ましにも拘らず、本人の努力不足も手伝って、小説家にはなれず了いであった。もっとも、中学校時代にも漢文の先生から「君は感受性は豊かだが、作家の才能はないよ」と言われた言葉が思い出される。確かにその後モノを書くようにはなったが、それは小説とは程遠く、残念ながら三流評論家が精々である。こういう結果にはなったが、その契機を作ってくれた義兄には感謝こそすれ、甥が指摘するような恨みなどはいささかもない。一度理系の学問の扉を潜った経験は今も生きている。また何度も回り道をし、普通の若者のように恋愛などは経験も知らずに終わったが、いささかも悔いの残る青春ではなかった。少々向う見ずだったかもしれない。自覚しないまま結核を煩(わずら)い、十二指腸潰瘍も煩いはしたが、それは後で医師に知らされたことで、すでに治癒していた。貧乏学生だったので、進められても医者に関わる機会がなかった。当時肺切除をした後輩が一生病を背負って生きたことを考えれば、それがむしろ幸いしたと言える。人生何が幸いで災いかは分からないということだろう。

二、文学青年が立たされた意外な立場

最初に就職して、機嫌よく働いていた大学で、それは意外なことからやって来た。組合が出来たことがその事件に繋がったらしい。当時私は専務理事推薦（話が長くなるので経過は割愛する）で、組合の執行委員をやらされた。ベテランの委員長からは広報担当を言い渡された。その間大したこともしなかったし、また大きな問題も起きなかった。当時たまたま私はフランス文化省の招請という形で留学の機会を与えられ、フランスだけでなくヨーロッパも周り、半年近く留守をしていた。つまり只管(ただひたすら)文学研究に打ち込む世間知らずの若い教員だった。帰国して間もない時のことだった。組合活動をしていた数人の教員が理事会から退職勧告を受けるという事件が起きた。研究室に教育学の先生が訪ねてきて、事件のおおよその経緯が説明された。そして、「先生はどう思いますか」と聞いてきた。藪から棒で少々驚かされた。私には学生時代に順番が来て普通に寮長をさせられて、

大学職員と交渉したことはあったが、こういう類の話にはまったく音痴だった。しかし「どう思うか」と聞かれれば、「そんな理不尽な！」と絶句する以外ことばが出なかった。確かにその話は常識に照らせば、許されることではないと思ったのである。

そうこうする内に、あろうことか私自身が三人の仲裁役の一人に選ばれてしまった。国立大定年退職の偉い教授との間でもこの議論が取り沙汰されていたが、数週間は進展しないまま過ぎ、最後にまずは退職勧告を受けた五人の内でも理事会が最大の標的にした、某教授に会って事情を聴くことになった。つまり三人が会ってその人の意見も念のため聞かせてもらうことだった。それによればこの間の経緯も対応も、聞いて来た以上に理不尽な話である。その後私たち仲介役三人は専務理事との交渉に向かった。若輩の自分が思わぬ立場に立たされていることぐらいは分かっていた。しかし先輩の先生の後に従って居れば良いと高を括っていた。ところがどうも二人の先輩の様子がおかしい。電車の中で二人の会話を聞いていて少し不安になった。彼らはすでに腰が引けていたのだ。私としても、せっかく恩師から得た専任講師の椅子が気にならないわけではなかった。思わぬ事態がやってきた。

さて、いざ専務理事の執務室に入った時のことだ。あろうことか先輩諸氏は無理やり一番若い私を専務理事の前に座らせたのである。理事はやおら三人を見回し、最後に黙っている私の顔を見て、話すように促した。「で、どうなんだ」というわけである。突然のことで私の頭はしばし空転していた。しかし意を決して一歩踏み出さざるを得ない。別に正義感に燃えたということではない。ただただ世間に疎い若者だったということだ。私は気持ちを落ち着かせながら、やっと自分の考えを、そして自分なりの状況判断を、ゆっくり述べたと記憶する。ところが専務は「そうか、分かった」とあっさり言ったのである。まことに呆気ない幕切れであった。「案ずるより産むが易し」とは、まさにこのことであろう。お話するようなことでもないが、文学青年に過ぎない若者が初めて思わぬ経験に出会ったということである。遅きに失したとは言え、それが私の「最初の社会化」の経験だったと言えよう。しかしこの思わぬ経験が、その後の私の人生に、何某（なにがし）かの教訓として刻まれたと今では思っている。

三、最初のフランス留学で教えられた二つのこと

私の最初の外国訪問は、上でも触れたが、一九六六年六月からの約半年間のフランス滞在である。フランス文化省の招待による現地大学などでの研修である。この頃私はフランスという国、あるいはヨーロッパとその文化というものに専ら傾倒していた時代だった。そしてこの最初のフランス滞在によって、大学もそうだったが、むしろそれより何より、この自由な滞在中に文献を通してではない色々なことを自分の目と耳で具（つぶさ）に経験することが出来たことで、フランスへの目があらためて

開かれたのだと思う。つまりフランスあるいはヨーロッパの、それも近代社会や文化の真髄を初めて身を以って教えられたということであろうか。ここでは、そのなかの象徴的な出来事を二つ紹介しておきたい。

一つは教会でのことである。観光スポットとなっている例の「ノートルダム」大寺院ではない。むしろあまり人通りのないところにそれは在った。たまたま通りかかったということである。中に入ると、陽を受けて色鮮やかなステンドグラスが光り輝いていた。その片隅にしばし座っていると、ちょうど定例の儀式の時刻であったのか、教会全体に荘重なオルガンが響き渡った。瞬間、今まで歩いていたパリの風景が頭からすっぽり抜けて、まるで自分が彼岸の世界に誘われているような気分になった。「ああ、神よ！」と思わず十字を切りたくなるフランス人の気持ちが痛いほど分かったのである。この見事な近代都市パリ、今も変わることのない美しいパリの街の片隅に佇む、この高く聳(そび)えるゴチック建築は、その外形の見事さにあるのではなかった。そうではなくて、この内部の巧みな演出と装置にこそあることを、その時初めて教えられたのである。

二つ目は、下宿先（Pension de famille）でのことである。そこには一〇人ぐらいの下宿人が居て、主人役のマダム・ムロンとメイドさんが朝と夕べの二度の食事のサーヴィスをしてくれる。リュクサンブール公園の南側に面していて、その五階にあった。パリはすべて七階建てに統一されていて、当時もエレベーターなどはなかった。序(ついで)に言うと、その後エレベーターを設置するかどうかが話題になったが、その辺りに住む老女が猛烈に反対したというから面白い。日本では考え難い話である。ある時某大手の商社員が「フランス人は新しいものを受け入れたがらないので、商売がし難い」とこぼしたくらいに頑固である。例えば家具などでもむしろ古いものを有難がる。およそ日本とは正反対で、新しいものには極めて慎重で警戒心が強い。もっともパリも少しずつ変化はして来ている。最近パリを訪れて感心したことがある。街の然るべき要所にカード一枚で乗れる立派な自転車がおかれ、市民はカード一枚で自由に使える。また道路もバスとその自転車だけが使える専用車線が設けられていた。愚痴をこぼす自家用族もいるが、大方評判は良い。

その一方でパリの郊外に大学の高層ビルなど一定の規制のなかで開発も進んではいる。またシャンゼリゼ通りに中東の航空会社が進出し、国営エールフランスはオペラ座の前に引越しを余儀なくされたようだ。確かにグローバル化の影響も見られるということだろう。パリの北では移民が犇(うごめ)き、治安が悪くなっているという意見もある。しかし例えば地下鉄での筆者の経験だが、一人の上品な中東系の婦人が私を老人と見てか、自分が座っていた席を譲って見せるということが起きる。フランス人も社交的だが、このさりげない気品に満ちた微笑みは忘れがたいものだ。パリに住む人種や民族に多様化が見られると言っても、一八世紀以来と言われる、パリの街並みや風情そのものに変化があるわけではない。自動販売機やコンビニの類は路上に姿はない。パリの何処の街角にもカフェと新聞・雑誌売り場、その近くにあるパン屋や食料品店があり、後者はかなり遅くまで店を開けていることが多い。私は今でもパリに居を据えていると、外国にいるにも拘らず、日本にいるよりむしろ落ち着いた気分になれるから不思議である。

話を本題に戻すと、下宿先での話の続きである。そこには食事時だけ来る人もいて、そういうフランス人の方がむしろ話題が豊富である。あるとき、食事の最中、シャンソン評論家とジャーナリストとの間で、最近売り出しのシャンソン歌手を巡って口論が始まった。お互いに自分の主張を一歩も譲らない。二人の議論は延々と食事が終わるまで続いたのである。ところが同席していた人たちは黙って辛抱強く聞いている。議論好きのフランス人気質は聞いてはいたが、これにはさすがに驚かされた。食事が終わり、彼らが帰ったあとで、私がそのことを不思議そうにマダム・ムロンに聞いてみた。するとマダムが応対する前に、食事だけに来ていた牧師が、私のところにやって来てこう切り出したのである。

「貴方は日本の方ですね。ところで、日本の絵は自然が全体に大きく描かれているのに、人間は居るか居ないか分からない位に小さく描かれていますね」

彼は日本家屋の床の間などによく見かける水墨画の類のことを指しているのだと受け止め、自分なりの意見を述べた。するとこう言い返したのである。

「それは可笑（おか）しいでしょう。自然を支配するのが人間でしょう。人間が絵の主人公でなければならないでしょう」

私は唖然として二の句が告げなかった。カトリックのフランスでは珍しいプロテスタント教会の牧師であったが、彼も神の教えを説く立場の人間である。そういう人までがそこまではっきり言うのかと思った。そのとき初めてフランス近代文化の本質を知った思いだった。ヴェルサイユ宮殿の綺麗に刈り込まれた庭に象徴されるように、自然を人間の知恵で美しく作り変えることが大事なのである。フランス語でいうinvention、あるいはpetite inventionである。矛盾するようであるが、建物でも便利な高層マンションではなく、街の景観を大事にして、エレベーターなしでも住める（?）七階建ての景観に二〇〇年、三〇〇年と拘り、広大な公園を幾つか配置して、それを自宅の庭代わりにする。またマンションでは、各自がそれぞれに玄関、部屋の中などに工夫を凝らし、その飾りつけ方を楽しみながら生活する、そういう人たちである。その代表格が芸術家であり、イスラム教国の人であろうと、仏教国の人であろうと国籍の如何を問わない。人間の技を追求する人たちを何より大事にし、彼らの老後をも進んで面倒を見る国である。その頃親しんでいたボードレールの『人工楽園』を彷彿とさせたが、実際に現地に立ち、そこに住み、日常生活を通して彼らに接することで、初めてフランス近代文化のルーツの何たるかを教えられたということである。

四、第二の青春時代の幕開け　―ブラック・アフリカへの渡航に至るまで―

最初のフランス留学から五年が経った。その間大学の研究会や土曜講座などで、求めに応じて、当代フランス事情や新しい文学の潮流などについて話していた。ある夏のことだ。フランス語で書かれたブラック・アフリカの小説を読む機会があった。それまでどうも納得が行かないでいた現代フランス語文学に、新しい芽を発見した思いだった。夢中で読んでいるうちに、ロラン・バルトがカミュの『異邦人』でフランス文学の「エクリチュール」は終わったと言ったが、ここにそうではない文学があるではないか。人間や時代社会をリアルに描く文学がちゃんとあるではないか。そう思ったのである。それから私はこの作家に無性に会いたくなった。直接本人に会って話を聞きたくなったのである。まずブラック・アフリカを中心にマグレブ（北西アフリカ）も含め、アフリカの歴史、社会、文学の概要を掴むことに専念し始めた。そして密かに留学の機会が与えられるのを待っていたのである。

それから二年後、一九七三年の九月にそのチャンスが来た。当時大学に設けられていた自由研修の順番が回って来たのである。与えられた期間は六カ月だった。私はそれを利用して、サハラ以南ブラック・アフリカの文学・文化事情の調査のために現地に行きたいと、教授会に申し出た。当時の日本では、アフリカは猿の研究の対象ぐらいでしかなかったし、大学人を含め、まだ首狩り族が出没する未開の暗黒大陸という認識が大方の常識だった。心配する同僚は「危ないから止めとけ」と本気で忠告するほどであった。しかしさすがに本人の希望を退ける確たる理由もないまま、承認され、最後にはいろいろアドバイスをくれる者まで現れた。こうして晴れてアフリカ行が実現した。まずは、アフリカ大陸の北西マグレブ諸国二カ国から始めて、その後サハラ砂漠を越え、西アフリカ三国、都合五カ国の首都の市長宛に手紙を用意した。地元京都市の門を叩き、市長（舩橋求己）の直筆のサインをもらい、それを日本からアフリカへのメッセージとして持参することにした。その上で、以前京都で開かれた世界宗教者平和会議に参加したことのある、某セネガル政府の要人にも手紙を書いて送ってみた。何と思いもかけず、立派な招待状とも思しき返事が返って来たのである。

　こうして運よく日本での準備を終え、その年の九月にパリに向かった。目指すアフリカ諸国は一五〇年もの間フランスが植民地支配していた地域であった。そこでパリに着いてから、フランスの大学のその道の専門家にも会って、情報収集をすることにしたのである。当時アフリカ研究で国際的に知られていたジャン・シュレ・カナール教授を訪ねた。彼は多くのアドバイスや知人を紹介してくれた。また、これに尽きると彼が言う一冊の本も渡された。さらにロンドンに渡り、専門家のアドバイスに耳を傾けた。筆者が思っていた以上に、パリにもロンドンにもアフリカ大陸の情報は溢れていた。もとより、その中には観光客目当てのものも少なくなかった。しかしそのことは逆に、日本とは大違いで、ヨーロッパではブラック・アフリカはもはや「暗黒大陸」などでは決してないことを示唆していたのである。パリではアフリカからの留学生にも出会った。かくてアフリカ行の大方の準備もでき、いよいよ地中海を越え、またサハラ砂漠も越えて、ブラック・アフリカへ旅立つ時が来たのである。

五、北アフリカ・マグレブ二カ国

(一) アルジェリアへ

―第四次中東戦争・ラマダン断食月・ガルダイア・オラン―

一〇月二日オルリー空港を飛び、私はまず北アフリカの国アルジェリアの首都アルジェに向かった。一直線にサハラを越えるのではなく、地中海沿いに北から西へ、その後に一気にサハラを越えるという計画だったのである。しかしちょうどその日に第四次中東戦争が勃発した。その異変を知らされたのが空港に着いてからであった。その時から何か悪い予感を覚えたことを記憶している。パリを飛んだジェット機の東側ではすでに戦闘が始まっていたのである。しかし地中海を一跨ぎ、二時間後には無事アルジェ国際空港に着いた。そこからタクシーでホテルへ、そしてパリで知り合った行政大学院の学生の家に電話を入れ、その日は休む間もなく、迎えに来た彼と夜遅くまで付き合った。

暗殺された独立戦争の英雄アリの家、断食月ラマダンでの彼らの聞きしにも勝る生活ぶり、砂漠の入口ガルダイアへの旅、アルジェ生まれのフランス人作家アルベール・カミュの誕生の地で、彼の代表作『ペスト』の舞台となったオラン市訪問、約一カ月の滞在を終えて、エリート学生ラトレーシュ君の父親から「お前は Maison blanche へ行くのだな！」と言われてビクッとしたことが忘れられない。彼は当時テレビに向かって、「ニクソン奴、ニクソン奴！」と叫んでいたからである。彼が放ったフランス語は英語で言えば、White House だからである。しかし、これから自分が向かうモロッコのカサブランカはスペイン語で「白亜の家」という意味だったのである。

(二) モロッコへ
―古都フェスへのバス旅行とシテ訪問・帰りの汽車・待ち伏せ食わす飛行便―

さて、次の町カサブランカはブラック・アフリカ最初の国セネガルへ飛ぶジェット機の中継地のつもりだった。従ってそこに長く滞在する計画は当初はなかった。しかし空港に着くと、カウンターで、パリからの便がキャンセルになった。一週間は飛ばないと言う。「まあ、ゆっくりモロッコ観光でも楽しんで行きなさい」とあっさり言われてしまった。また良くない予感が脳裏を走ったが、仕方なくカサブランカ市内のホテルを予約してもらい、そこを拠点にかつて名画『カサブランカ』で知られる美しい街を散策し、翌朝西の古都フェス（Fez）へ高速バス五時間の旅に出た。九世紀以来脈々と引き継がれてきた古都への訪問は、後から考えるとまたとないチャンスをもらったことになる。

そのときの印象は今でも忘れ難く、脳裏にはっきりと刻まれている。なかでも砦に囲まれた古い街シテ（CITE）の佇まいは思わずなかに引き込まれる。門を入ると、そこには今も人が住み、商店街が立ち並び、人々が行き交う。とある建物の階段を登ると、その石段に目が行った。長い年月にわたり人々が歩いたことで、一つ一つの石段の角が削り取られていた。手で撫でて見たい誘惑に駆られるくらいである。長い階段を上に出ると、一面に視界が開け、眼下には見事に配置された色鮮やかな染料の池が広がっていた。ここには一〇〇〇年以上経た今も、現に稼働している生産拠点があったのである。詳しく話を聞くと、この砦のような中世都市は、信仰の場モスクに加え、香料、金銀細工、織物、陶器などの産業も盛んだそうだ。街を一周している内に、陽が傾いてきた。シテの門を出て、丘に上ると、折から夕日が古都とその周辺全体を照らし出していた。私の脳裏を時が流れ、一〇〇〇年の歴史の歩みがひしひしと語りかけて来る。私はしばし呆然とそこに佇み、時を忘れていた。

その日カサブランカに帰る高速バスの席はすでになくなっていた。やむなくその日は現地に泊まり、翌日列車でカサブランカに戻ったが、この列車の旅がまた初体験となった。やっとカサに着いたが、飛行機の便はそれからさらに幾日も待たされた。いよいよ飛ぶと言うので空港にたどり着くと、また一日待てと言う。私には「ブラック・アフリカへは行くな！」と言われているようだった。翌日昼前三度目の正直というか、やっとパリからの便に搭乗することができた。当時の私の日記には「ついにカサを飛ぶ」と書かれている。カサブランカを飛び立ったエールフランスのエアバスは、青緑色の大西洋の海と薄樺(うすかば)色のサハラ砂漠の淵を海岸線に沿って南下し、砂漠の国モーリタニアのヌアディブーに寄港した後、夕方七時前にやっとダカール国際空港に降り立ったのである。空から見るセネガルの首都ダカールはヨーロッパの地方都市にも似た閑静な町であった。

六、西アフリカ最初の国での思わぬ歓迎と経験

予約していた市内の瀟洒(しょうしゃ)なホテルに旅装を解き、あくる朝食堂に降りると、黒人のギャルソン（給仕、フランス語地域ではレストランであれ、カフェであれ、給仕役はギャルソンと呼ばれる男の専門職）が走り寄って来て、開口一番「ブラボー！」と抱きついた。聞いていた話と大違いで、部屋には蚊も蠅も虫一匹出ない。何が野蛮人だ、首狩り族だ、暗黒大陸だ。小柄の黒人に抱きつかれて、私はいかにも懐かしい友人に再会したような気分になった。周囲にはあれこれ心配をかけたが、ここま

で辿り着けてほんとうに良かった、自分は幸せだと思った。

アフリカの西端セネガルは赤道からそれほど遠くない国であるが、一一月は乾期で湿度が低く、気温も二八度で快晴の日が続いた。それからの筆者は、高度成長で騒(ざわ)めく日本では味わえない、まるで人類のふる里に帰ったような、ゆったりとした気分を味わうことになった。文化省の官房長が、筆者のリクエストに的確に答えてくれた。官房審議官ジャン・フランソワ・ブリエールを筆頭に、若い官僚シッソコ君と複数の妻を持つ年配の運転手の世話になりながら、小学校から大学に至る教育機関や研究所を巡り、地方への旅にも出た。その間、現地の日刊新聞の取材を受け、その記事が大きく紙面を飾ったために、物珍しさも手伝ってか街を歩くと時々声を掛けられた。この滞在一カ月間のあれこれについては拙著に詳しいので、ここでは割愛する。

セネガル滞在の最終日、筆者のアフリカ行きのそもそもの目的であった作家センベーヌ・ウスマンに会うことになった。実はその二日前、大統領の招待を受け、彼を豪華な官邸に尋ね、詩人としての仕事と大統領の要職をどうこなしているのか、またこの国の文化政策はどうなっているのかなど聞いていたのである。当時サンゴール大統領は社会党員でもあり、一方センベーヌはどうやら当時この国ではあまり歓迎されないコンミュニストであったらしい。二人は西アフリカを代表する詩人と作家の間柄ではあったが、同時に微妙な関係にもあり、周囲も私がセンベーヌに会うのにかなり苦労していたことが後で分かった。そんなこともあって、滞在の最後の日に待望の面談が叶うことになったのである。

センベーヌの家はダカール湾の小さな岩場に寄り添うように建てられていた。彼自身のなかなかの作品である。マルセイユ港の沖仲仕の経験を持つ彼は、それだけの器量と労働力を身につけていた。門で迎えてくれた彼は、中へ入るよう促し、仕事部屋に招かれた。デスク越しに、かれはパイプを燻(くゆ)らし、私の話をゆっくり聞いてくれた。サンゴールとの関係、セネガルの歴史、彼の小説や映画の話、今後の計画など。一つずつ丁寧に答えてくれた。彼はまた日本のアフリカへの関心にも触れた。別れ際であったが、彼はこう言ったのである。

「日本からの援助は止めてほしい。これまでもフランスを始めとして、外国からの経済援助があったが、それで自分の国が良くなったとは到底思えない。自分の国のことは自分たちの意思で考え、自ら努力することが一番大事だと思うからだ」

彼の映画作りへの心ばかりのカンパを渡した後のことだった。

第二部　またなぜ、今アフリカなのか

はじめに

近年、新自由主義市場経済が海を越え、諸大陸へ、世界へと、着々と浸透している。

二〇〇八年ブリュッセルの会議で、ＥＵとアメリカの間で議論が始まり、それから六年後の今日、ワシントンはこの道筋をさらに前に進めようとしている。一方ＥＵも国民の生活や社会保障の前進より、多国籍企業の権益の方を優先する考え方に傾き始めている。これに対し、国民の方は、もとよりこの動きを牽制するために、デモ・ストライキなど伝統的な市民運動などで抵抗を強めている。

では私たち日本はどうであろうか。一九八〇年代に目に見えて姿を露わにして来たこの「怪物」（カジノ資本主義と名づける学者もいる）に振り回されて来たと言える。バブルがはじけ、負のスパイラルに直面してから、先頃「集団的自衛権だ」、「秘密保護法案だ」、今年（二〇一五年）に入ってからは、危機感を肌で感じた若者たちを中心に、国会前を主たる舞台として一〇万人単位の抗議運動が全国に広がり盛り上がっている。しかし国会で多数を占める与党による強行採決という伝家の宝刀で押し切られ、すでに結果は見えて来た。まことに残念なことではあるが、固い結束をはかる

「政官財」を脅かすほどの力には成りえないのだ。これを「戦後民主主義」危機とも終焉とも語る識者も少なくない。

つまり、敢えて一言で言えば、欧米を中心とする世界の大国とそこに拠点をおく多国籍企業が、その権力と利権を駆使して、アジア・アフリカ・中東・南米など、私たち市民一人ひとりが主体であるはずのこの広大な地球社会を、彼らの権益を優先する形で情け容赦なく凌駕しようとしているということではなかろうか。そういう時代に、私たちは日本が位置するアジアからだけでなく、人類発祥の地アフリカから、あらためて世界の現状を見直してみること、また世界を多角的な視点から検証することが大事だと思うのだ。

筆者は第一部では、四〇年以上前に自分の専門分野として、幾度かその土を踏んで来たフランスを後に、当時まだ暗黒大陸と言われていたアフリカへ飛び立ち、降り立ったこと、そして以来アフリカの文化や社会に関心を持ち続け、そこから多くの刺激と教訓を得て来た顚末の一端をお話申し上げた。そこで今度は、話をいま一歩進めて、一昨年以来「二十二世紀を望めないかもしれない」(電子書籍及びブックレットにおいて)と敢えて警鐘を鳴らして来た者として、あらためてアフリカ大陸に視点を据え、そこから私たちへの新しい教訓と希望のメッセージ、あるいはその芽を以下探ってみたいと思う。

一、ヨーロッパによる植民地支配から始まる近代アフリカ

アフリカの歴史は人類の歴史そのものである。また経度ゼロを基点に世界地図を開けば、まさにその真ん中に圧倒的な大きさでアフリカ大陸が他を圧倒している姿を見ることができる。その総面積は三千万平方キロメートルである。アジアを除くヨーロッパ大陸、アメリカ合衆国、アラスカ、中国がすっぽり中に納まって、なお余りある広大な大陸である。そこには地球上の国・地域の四分の一に当たる五四カ国が存在している。今日ではさすがにアフリカを暗黒大陸だなどと考える人はいないと思う。むしろ最近では、資源と市場が見込める大陸として、再び大国の権益争いの場となっている。そこで、長い前史は省略して、まずは近代ヨーロッパがアフリカ大陸に進出するに至った、一九世紀以降から話を始めたいと思う。

ヨーロッパがその権益を求めてアフリカに進出したのは、一九世紀後半と考えて良い。

先陣を切ったのがイギリス・フランスである。その後を追ってイタリア・ドイツ・ベルギーが、そしてスペイン・ポルトガルがさらに加わった。こうして当時のヨーロッパ列強は、お互いの利権を分け合うために、ベルリンに集まり、四カ月後に開かれた一八八五年二月のベルリン会議で、「アフリカ分割」案を議決したのである。これがヨーロッパ列強による植民地支配の決定的瞬間と

なった。彼らが合意した分割案は、まるで定規で引かれたものであった。その後のアフリカ全般に及ぶ歴史はここでは省略する。

さて、それから七五年を経た一九六〇年、国連で会議が開かれ、ヨーロッパ列強もそれぞれの形でこれを認めて、アフリカ諸国の独立が決定されることとなる。その形も七五年前に彼らが決めた姿がほぼそのまま継承されて今日に至っている。上でも一部述べたことだが、筆者がアフリカの西北マグレブ二カ国に次いで、アフリカ大陸の本丸サハラ以南黒人アフリカを訪れた時のアフリカはそういう状況下にあったことになる。それにしても、わずか五カ国、半年の滞在で何が分かるのか、という厳しい指摘もあろう。しかし訪問前の準備、文献や専門家との懇談などを通して得た知識、またその後の幾度かの現地訪問と及ばずながら積んだ知識、アフリカ大地を何度か踏んだことで、アフリカ大陸が投げかけている問題の本質を幾らかは理解できたと思っている。もとより十分とはとても言えないだろう。しかし今の既成ジャーナリズムが報道するように、どこかの国の首相たちがどれだけ多くのアフリカ諸国を訪問したかではないと思う。そうではなくて、その時の主体者としての問題意識と視点が重要なのではないであろうか。グローバル化時代の今のアフリカへの理解やそこからの教訓をくみ取ることに繋がる立ち位置と視点が問題だと考えている。

我田引水の誹り(そし)を免れないかも知れない。厳しいご批判は甘んじて受けよう。以下に筆者の論点を披露させて頂く前に、まずそのことを申し上げておきたいと思う。

二、独立後のアフリカの歩みとその経験から学ぶもの

筆者が現地へ足を運んだ国々は、いずれも元フランスの植民地で、そこではフランス語が公用語として広く使われていたことも筆者を助けてくれた。また独立の際に、当時のフランスの首相ドゴールが「援助と協力」を条件としたことで、アフリカとヨーロッパの間の独特の、複雑な関係がそこに介在していた。その現実を具に体験したことで、筆者の視野がさらに大きく広がったのだと思っている。これら五カ国を訪問した経験の一部は、すでに第一部でも述べているが、以下では本論での筆者の問題意識（視点）と論点に即して、幾つかの事例を紹介することで、論旨をすすめてみたいと思う。

（一）あらためてマグレブ（西北アフリカ諸国）二カ国から何が見えるか

少なくとも当時のアルジェリアとモロッコは、ヨーロッパとの関係で言えば際立って対照的であった。アルジェリアはフランス支配の当初から独立の機運が高く、小競り合いも頻繁でフランスにとってはかなり厄介な問題児であった。頑強に抵抗して最後に家族共々虐殺された「英雄アリ」の住居は今も貴重な歴史遺産として残されていて、市のガイドに案内された時の記憶は今も筆者の

脳裏に鮮明に刻まれている。またパリ滞在中に知り合った行政大学院の学生ラトレーシュ君の兄が後に話してくれたエピソードがある。当時まだ子供であった彼は独立のために戦っている大人の役に立ちたいと思い、フランス兵が隙を見せた瞬間、必死で兵士の武器を奪って逃げたという冒険談も忘れ難い。そういう背景もあり、この国がフランスから独立したのは、他のアフリカの独立諸国より二年遅れた一九六二年であった。イスラム国家の宣言、非同盟諸国首脳会議の開催やその後の変遷はここでは割愛させて頂く。

筆者が主要な専攻分野として来た文学で言えば、砂漠が圧倒的面積を持つアルジェリアの山地寄りに佇む少数民族の中から、この国の今を代表する一人の女性作家が生まれた。名前をアシア・ジェバールと言う。何年か前であるが、彼女はフランス・アカデミーの正会員に推挙された。パリにも住居があると聞く。近代アルジェリアの歴史から見ても大きな一つの変化である。アルジェリアの文化風土もかなり変わって来ていることは事実である。都市の佇まいも欧米化し、アルジェリアなりに政治経済の近代化が進んでいる。ご多分に漏れず日本企業の進出も少なくない。しかし一方で、街の治安や景観がむしろ悪くなっている面も否めない。果たしてここで人々が幸せを分かち合えているかと言えば、格差の広がり、新しい貧困の問題があるかと思う。近頃メディアが「テロ集団」と好んで（?·）報道する民族運動も目立っている。しかし、その正確な実態や背景などは知らされていない。

では隣国モロッコはどうであろうか。立憲君主制を敷くこの国は、他のアフリカ諸国より四年早く、一九五六年に独立している。それだけ、昔も今もフランスとの関係は良好である。映画「カサブランカ」で日本人に広く親しまれている国であり、歴史文化遺産も多く、アフリカでは日本人にもっとも人気のある観光スポットである。最近モロッコ人の同僚から首都ラバトに位置するモハメッド六世大学で国際セミナーを開催するので、何とか都合をつけて参加してほしいという話があり、パリ経由でカサブランカに飛んだ。二〇〇八年五月のことだったかと思う。筆者には英語で基調報告をという注文だった。その時おやっと思った。フランス語が公用語のモロッコなのに、何故英語なのかと不思議に思ったのである。実際セミナー会場に行ってみると、そこには、日本大使館・JAICA・国連など国際色豊かな面々が待ちうけていたのである。詳細は避けるが、質疑応答も英語だったので、少々難儀をしたことは言うまでもない。セミナー終了後にディナーパーティが開かれ、その時フランス語での挨拶が促された。やっと一息ついたことが思い出される。

しかしこの国にまったく問題がないわけではないようだ。モロッコでのセミナーの帰りにパリにしばらく滞在した折、一時フランスに亡命していたモロッコの詩人ラービに会う機会を得た。彼からあれこれモロッコの問題群を聞いたのである。その話では彼らの創作活動もその場は限られていて、思想信条の自由はかなり限定的とのことだ。七三年に訪れた折に、アルジェリアの女性が纏(まと)うイスラム独特の白と黒の民族衣装とは明らかに違って、実に色取りどりの鮮やかな衣装にシャッターを向けたときのことを思い出した。散歩の途中のことだったが、黒い車が近づき、黒いスーツを着た背の高い男がつかつかと筆者に寄り添った。何だろうかと思っていると、彼はおもむろに「ちょっと来い」と言ったのである。仕方なく、自分の身分保障になるか考え、セネガルの大統領招待の旨を筆者に告げて来た手紙を見せた。すると彼の態度が一変したのである。後で分かったことであるが、その近くに偶然ではあったが、まさに上記のモロッコの詩人ラービが以前に幽閉されていたと思われる警察の拘置所があったのである。

モロッコでも日本人がカメラを持っての一人歩きは禁物である。しかしもちろん悪い話ばかりではない。例えばセミナー参加の折のことである。同僚と車で移動していたとき、彼の携帯に電話がかかってきた。そのやりとりを聞くともなしに聞いていて、気が付いたことがあった。何と彼は英語とフランス語とアラビア語を適当に織り交ぜて相手と話していたのである。実は彼は東京大学に日本語で書いた博士論文を提出した男である。言うまでもなく日本語も流暢である。まさに彼に象徴されるように、モロッコは日本から遠い国であるが、日本よりはるかに国際化の先を行っているように見える。周辺国との紛争も少ない。

一方、隣国アルジェリアも近代化が進み、日本やヨーロッパとの関係の修復も進んでいる。とは言え、この国も現地で働く日本人の話を聞けば、思わぬ問題に遭遇することも少なくないと言う。従ってマグレブを今どう見るかは、じっくり考えてみなければならないということであろう。

(二) あらためて西アフリカから何が見えるのか

筆者がアフリカへ旅立った一〇年後の一九八四年、日本ではアメリカの要請を受けた日本政府が「飢餓救援キャンペーン」を大々的に打ち出し、官民こぞって、それこそ全ての政党・団体をはじめ、日本国中が突然降って沸いたような騒ぎになった。言っておくが、アフリカの飢餓は何もこの時初めて起きたわけではない。それ以前から問題は続いていて、アフリカに関心を持ち始めていた私は、独自に救援カンパを集めて回ったこともある。その頃はほとんどの日本人が関心すら持ってはいなかった。しかし外務省が音頭を取って始まった飢餓キャンペーンが契機となり、その後日本はアフリカ諸国に大々的な経済援助を始めた。日本企業も続々アフリカに進出することとなった。その結果アフリカはどうなったか。その後私が何度か訪れる度に、サハラ以南アフリカは都市化が進む一方で、格差が広がり、治安が悪くなって行った。こうした変化を、セネガルの女性作家アミナタ・ソウ・ファルが『乞食のストライク』(春秋刊誌『グリオ』平凡社、九号所収)で取り上げ、開発に揺れる彼女の祖国の現状を皮肉たっぷりに描いている。

話をいま一度一九七三年に戻してみたい。その理由は、一九六〇年前後に始まるアフリカ諸国の独立とその後のヨーロッパ主導の近代化の歩みが、プラス・マイナスを含めて、黒人アフリカの再出発だったからである。最後に述べるが、その総括と私たちの未来のシナリオにも関係する再々出発を考える上で重要だからである。

さて、当時私はセネガルを皮切りに、さらに西アフリカ一一カ国へと足を伸ばした。これらの国でもアフリカ黒人たちの人情の機微や文化の瑞々しさに触れ、思わぬ経験も味わっている。また一方現地で突然リクエストをされた「日本文学講演」、その原稿を夜遅くまで準備することで、ポール・ニザンの『アデン・アラビア』ではないが、あらためて近代日本を振り返る機会も得た。ここでは最近上梓されたブックレット『わたしたちは二十二世紀を望めるのか』で触れた以外の幾つかの経験を紹介しておく。

一つ目は、言葉というものは日常的に使うことで初めて慣れるということである。最近日本では英語が幅を利かしているが、外国語に弱いとよく言われる私たちにとって迷惑千万である。しかしこれまで筆者の経験したことで言えば、例えばそれまで四〇年間自由に使って来た母国語である日本語でさえ、半年間まったく使う機会がなければ、あろうことか日本語がすっぽり頭から抜け落ちてしまう。そのとき日本語は私にとって恰(あたか)も外国語のようになるのである。セネガルの隣国、当時陸の孤島と言われたギニアで、珍しく日本人に出会った。懐かしさで思わず駆け寄って声をかけようと思ったのだが、どうしても言葉が出なかったのである。結局、筆者と彼らの間で一言の会話も成立しないで終わった。不思議と言えば不思議な話だが、それが偽らぬ現実であった。以来私は日本人が抱きがちな外国語に対する引け目は払拭した方が良いと、機会あるごとに言うことにしているのである。

しかし今や英語が必須の国際語だとして、日本では小学校から始めようとしている。かつて文明論者で名を成した梅棹忠夫が、筆者の理工学部の学生時代に、彼の担当の生物学の講義だったが、生物学はそっちのけで毎回「日本語のローマ字化」を強調していたことが昨日のことのように思い出される。一九五一年のことだ。彼に先見の明があったとすれば、早くも日本のアメリカ属国化とアメリカ主導の国際化の進展を見透していたということであろうか。

二つ目は、その後のアフリカ訪問で気がついたことであるが、日本では黒人を見かけると、今でもやはり異人種という違和感を持ちやすい。しかしブラック・アフリカで長い間彼らと仕事を共にし、また合間に街を歩いていると、その印象が変わるのである。街では当然白人にも出会う。彼らはその地ではマイノリティである。あるときフランス人女性に出会った。おそらく三〇過ぎの色白の美人だったと思う。しかしどういうわけか、そのとき筆者の目には何か頼りなく、強いて言えば、黒人に比べて、失礼な言い方にはなるが、「薄汚い」という印象を持ったのである。この種の経験は一度や二度ではない。またこんな風景も印象に残っている。空港でのことだが、一人の白人の女性が「どうしても貴男と離れたくない」と言わんばかりに、黒人の男にしな垂れかかり、いつまでも抱きついていたのだ。アフリカはまさに人類発祥の大地なのだから、人類のふる里アフリカで出会ったイケメン黒人は何をおいても放し難い存在だったと言えるかもしれない。大分前のことだが、日本でも一時東京の六本木界隈で、黒人男性が日本のコギャルに持てたと言う話も思い出させる。

三つ目は、最貧国の誉(ほまれ)高い国ギニアでの経験をいま一つ紹介しておく。二〇一四年の統計で一人当たりのGDPは年五万円の国である。しかし筆者の訪問時以来、今でも豊かな国と言われる他の西アフリカの国とは違う特色をもっている。独裁国家ではもちろんない。共和制を敷き、国民議会を持つ。注目したいのは、その国の変わらぬ文化政策である。フランス語も通用するが、構成する各民族毎にそれぞれの母国語を持っていて、立派に通用し、広く使われているとのことである。西アフリカでは例外と言える。また国際的に孤立しているかと言えば、そうではない。例えば日本とも貿易取引がある。確かに輸入額が輸出額を九〇億ドル上回ってはいるが、主要な輸出産品は、金、ボーキサイト、アルミナなどである。コメを主食とし、自前で賄っているフランス並みの立派な農業国である。今でも忘れられないのは、夜ホテルを出て夕涼みかたがた街を歩いている時に、よく人とすれ違うことがある。まばらな店もすでに閉まっているし、通りには街灯などないから、「今晩は！」と愛想よく婦人に声をかけられても、余程近づかないと分からない。しかしその笑顔は実に優しさに満ちている。決して物欲しげな笑顔ではない。何がフランスに見捨てられた貧しい国だ、と思ったものである。議会制民主主義体制を敷くが、時に国民世論を無視して、多数を頼み独断的政策を進めて恥じない、食糧自給率三〇％台のどこかの先進国（？）とは大違いである。事情が許せば、近ごろ流行の日本脱出を決行して移り住むことも考えたくなる国の一つである。

四つ目はその隣国コートディヴォアールである。一九七三年当時、この国は西アフリカの優等生と謳われていた。事実、湾岸沿いの大都市アビジャンには先進国の大都市並みに高層ビルが林立していたし、主生産品目ココアの輸出で大きな黒字を計上していた。ところが、そこで筆者は初めて強盗に襲われた。確かにこの国には地方から都会に出て行く若者たちに警鐘を鳴らす風刺漫画が読まれていたのは知っていた。だからそれまでのブラック・アフリカでの旅と滞在が順風満帆だったからとは言え、筆者も気を付けなければならなかったのである。しかし訪問直後に駐日大使に挨拶に伺ったとき、この国の立派さを大いに強調されたことが筆者の油断を招いたとも言えよう。しかし別に命を狙われたわけではなく、財布と腕時計が奪われ、転んで軽傷を負った程度で済んだのだから、良い経験を積ませてもらったと有難く思えば済むことである。実は優等生と言われ続けたこの国も、その後幾度となく破産に追い込まれて来た。最近も西アフリカではもっぱらその話題が取り沙汰されている。今日の日本の危うい足取りを見ていると、この事例は決して対岸の火事などではない。遠い地の果てアフリカの出来事と受け止めて済む話ではないことを肝に銘じたいと思う。

三、結語に代えて　―アフリカの欧米型近代化からの離陸と私たちへの教訓―

（一）独立後、欧米など先進国は何をして、何をしなかったのか

以下、具体的で典型的ともいえる事例をいくつか引いて、問題の本質を探ってみたいと思う。

(A)「援助と協力」という言葉に象徴される欧米のアフリカ支配の実態

今アフリカは彼ら自身の手で、言わば三度目の正直とも言える再々出発の途に就き始めている。一方欧米大国の方も、独立を認めて以来「援助と協力」の名の下で着々と地盤を築いて来た彼らの利権を簡単に手放さないかもしれないが、彼らが導入した欧米近代型開発モデルはあちらこちらで綻(ほころ)びを見せているのも明らかである。すでに西アフリカの優等生と彼らが賛美したコートディヴォアールは、その後何度も債務超過に陥り、今も国家破産に追い込まれていることはすでに述べた。ここでは一つひとつそれらの事例を取り上げるスペースはないが、例えば何度か足を運んだ西アフリカ、セネガルの例を一つだけ、述べておこう。

この国はコートディヴォアールとは対照的に文化立国として知られていた。ところが独立後にこの国の農地をフランス人のための野菜を生産する畑に改良した。しかも計画が上手(うま)く行かずフランス企業は何年か後に撤退し、その後始末もしないまま放置している。またこの国では主食であるコメの生産よりも、輸出換金農産物である落花生が大きく上回っている。現在、耕地面積のほぼ七割を占めている。輸出業者は大いに潤ったが、セネガル国民の大多数はその恩恵には縁がないままである。この場合は植民地支配国だったフランスの「援助と協力」という政策が基に成っていると言えよう。しかしその背景には、一九六〇年のアフリカ独立と期を一にして国連が導入した「国連開発計画」（ＵＮＤＰ）も無関係ではない。この開発パラダイムが、有名なＷ・Ｗ・ロストウの「追い付き理論」によって始まったことは良く知られている。それによれば、いずれ発展途上にある第三世界諸国も、ここではアフリカであるが、先進国同様の道筋を踏んで発展するのだと言うのである。こうして「開発の一〇年」で始まった援助政策も、実は二〇年三〇年と担い手が次々に代わっても上手く行かなかった。世銀は一九九〇年に開発報告を初めて「貧困」というタイトルを付して出し、それから一〇年後には今度は「貧困との闘い」と題して開発報告を発表した。そして国連は、その年からミレニアム開発目標（ＭＤＧｓ）と銘打って、経済成長だけでなく、人権・教育・環境・医療などに重点をおく目標を持つように変化して来てはいる。そのことは歓迎すべきことであるが、果たして欧米大国はもとより、ＯＥＣＤ先進三〇カ国とそこに本拠を置く企業が、そのように動いているかは甚だ心もとないと言わねばならない。それらについての詳しい議論は、関係者の間でよく利用される公式の多様なデータ、例えば国連開発計画（ＵＮＤＰ）の「人間開発報告」や国連貿易開発会議（ＵＮＣＴＡＤ）の年次報告など様々な情報・資料を注意深く検討した上でのことになるので、ここでは割愛させて頂く。

日本はと言えば、最近、農林水産省の外郭団体である海外農業開発コンサルタンツ協会（ＡＤＣＡ）がセネガル農業研究所（ＩＳＲＡ）に補助金を差し出して、二〇〇三年にプロジェクトを発足させた。そこではこの国の積年の農業問題解決へ乗り出すのだと謳われている。すでに紹介したような事情で、セネガルから撤退したフランスに成り代わり、言わばアメリカの代理人（?）として、日本が今更の如く、コメの品種改良だ、何よりコメの増産だと言っているのである。同じ問題を抱えている日本だからこそ知恵が出せるというのであろう。高級待遇の「専門官」（?）で知られるＪＩＣＡの協力を得て、お茶を濁しているとも受け取れる話だ。一九八四年の「飢餓キャンペーン」以来アフリカに進出している日本企業の目的が何に主眼を置いているかを良く見極める必要があるという話のひとつだ。私自身もそうだが、アフリカの人たちも決して騙されないように目配りをしっかりすることである。

（B）「エボラ出血熱」騒動の背後に見えてきたもの

そう思っていた矢先に、またまた負のアフリカキャンペーンが日本で始まった。

日本のメディアがアフリカ発の「エボラ出血熱」を大きく取り上げている。筆者が人類の故郷と呼んだ、西アフリカのギニア南東部で幼児が、感染源と見られる「こうもり」に接触したのが始まりだそうだ。それが次から次へと広まったのだと言う。エイズのケースもそうだが、アフリカの人がサルを食したことで広く人間に広がったと言われた。そもそもこの話題が広がったのも、被害が先進国の人間に及んだ時が発端である。事実今回「国境なき医師団」のアメリカ人やスペイン人が感染して母国の病院に搬送され、亡くなったという話がトップを飾る。またもっとも死者が多いのがリベリアの現地人だと言う。大西洋に面したこの国は一八四七年に、他の西アフリカの国に先立って、いち早く独立した国であるが、この国に住むアフリカ人はアメリカから移住した黒人である。皮肉なめぐり合わせとも言えよう。

こうした事態の進展を受けて、国際社会では、ＦＡＯ（国連食糧農業機関）が、カナダの製薬会社の開発した、未だ動物実験の段階の薬の投与を緊急措置と謳って許可し、その薬が西アフリカに大量に送られるという話もある。人道支援という美談とも受け取れるが、別の角度から見れば、西アフリカの医療従事者を始め、多くの人たちが、その格好の治験対象とされるわけでもある。こうして、人類に災いをもたらすものの根がいつもアフリカにあるかのように語られ、それに手を差し伸べるのが、私たち先進国という話になる。しかし例えばエイズだが、今やアフリカよりも日本を含めたアジアなどで盛んである。そもそも人間が哺乳動物を重要なタンパク源として食べて来たのは、今に始まった話ではない。「馬刺」はフランスでも日本でも高級料理の一つである。因みに、戦争中、日本人もジャングルで生き残るために、戦友の死肉を食して、飢えを凌いだとも言う。

また今回の報道で、遺体を洗い清めるというアフリカの風習が流行を拡大したと言う。では私たち多くの日本人が感動の涙で受け止めた、あの「おくりびと」の話はどうなのか。遺体に化粧を施すことも止めなければならないことになる。アフリカには医療技術がないと言うが、そもそもアフリカの人たちの医師や医術への不信が前からあると言われている。今回も不幸なことだが、欧米の医師・看護師らが感染している。これまた、かつての日本の医師、野口英世博士が黄熱病で死亡して以来続いている話でもある。

なお、この際付言しておくが、近年アフリカに駐在する日本大使館には、要所に一人の医師がおかれ、他の国や地域も巡回して全体のケアをはかっている。しかし彼らがケアするのは自国の大使館員であり、強いて言えばそこに滞在している、それもかなり重要だと見なされた日本人までの話である。現地のアフリカ人に及ぶことなどありえようもない。今回のケースでも、現地でアフリカ人感染者を相手に活躍しているのは、「国境なき医師団」のみであることをしっかり認識しておかなければなるまい。またこの混乱で引き起こされる現地人の反発が欧米人に向けられると、今度は「治安維持」を目的に軍隊を派遣するというのである。何をか言わんやである。

（C）「エボラ出血熱」発生の本当の怖いお話

最近になってアメリカの一部のマスコミが、「エボラ出血熱」をめぐる重大な事実をすっぱ抜いて、私たちは思わず目を剥かずにはいられなかった。というのは、リベリアの細菌感染症の専門家であるブロデリック教授（Prof. Cyril Broderick）が、リベリアの日刊紙『オブザーバー（Observer）』の二〇一四年九月九日付けの紙面に掲載された公開書簡のなかで、一九七五年にアメリカの軍事企業が、エイズに似たエボラ・ウイルスを製造し、これを大量生産して、ザイール（現コンゴ共和国）にばら撒いたと指摘したのである。この事実は、その翌年にエボラ川流域のザイールで確認され、それが今回の西アフリカのエボラ熱事件の引き金を引いたとのことである。彼はこれらの事実が一九九八年の重要な地域報告文書に記されていると述べ、アメリカの対ソ冷戦戦略の一環としてアメリカ国防省が主導して、遺伝子組み換えによるエボラ・ウイルスの発明が行われたこと、またこれが白人政権時代の南アフリカの協力を得て、ザイールなどに散布されたとも指摘している。事実その後アメリカの著名な経済紙『ウォール・ストリート・ジャーナル（The Wall Street Journal）』は一〇月一七日付け紙面で、一九七六年にベルギーの生物学者ピーター・ピオット博士のチームがザイール（現コンゴ共和国）でエボラに感染したと見られる患者を診察する様子と、病原菌の検査を行ったが特定できず、その後アメリカ・アトランタの病原管理予防センターに送られて、今日エボラ出血熱として知られる新しい病原菌であることが確認された旨報じている。

これらが事実とすれば、あろうことか、表では人権尊重を謳うことに熱心なアメリカ政府自身が今回の事態を引き起こしたことになり、許すべからざる国際的大量殺人犯として批判されなければならないであろう。ブロデリック教授は、アフリカをルーツに持つとは言え、言わばアメリカ出身の黒人専門家である。従ってアメリカに敵意を持つアフリカ黒人でも、またいかなる意味でも欧米に敵対する立場にある人物でもない。それにしても『ウォール・ストリート・ジャーナル』を除いて、日本はもとより、多くの欧米のメディアやマスコミは、なぜこの現地報道を取り上げようとしないのであろうか。何をおいても現地に飛んで、ブロデリック教授自身にまずは取材し、指摘されている関係文書に当たろうとしないのであろうか。もはやそういう新聞記者魂は過去のまた過去の話となったということであろうか。もはやG8とか、G20とかをめぐる国際報道にのみシフトしたマスコミなどは、いずれ国民の信を失うに違いない。このまま世論が誘導されるがままになるのであれば、遠からず日本も欧米もアジアも、アフリカよりはむしろ先に自滅する道を辿るような気がしてならない。

(D)民族紛争とテロを生む大陸といういまひとつのお話

次に、今日欧米や日本でしばしば取り上げられる定番の話に、民族間紛争と「テロ集団」がある。それも、まるでアフリカが主役のように言われることがある。北アフリカから中東へ広く分布するアラブ人も今やターゲットだ。知らない人のいない「アルカイダ」も、その源は、米ソ冷戦の時代にアメリカが訓練してアフガニスタンに送り込んだ中心人物、今や誰もが知るサウジアラビア人のビンラディンである。皮肉なことにアメリカは自分が生んだ「鬼子」ビンラディンを暗殺する羽目に至った。欧米中心主義の末路を象徴しているかのような話だ。これまで私たちはアフリカ大陸を未開の大陸とし、アフリカ人をbarbarian(英和辞典では、野蛮人)と呼んで来たが、この英語は、彼らが自分たちの故郷と強弁するギリシャ語から来ている。この言葉は、元はと言えば、言葉が通じない「異邦人」というほどの意味でしかなかった。江戸時代の伊勢の漂民「大黒屋光太夫」の話をつい思い出す人もおられるだろう。

いずれにしろ、今アフリカで起きている民族紛争の基は、欧米大国が人為的に引いた国境に基因することを忘れないでほしい。近代ヨーロッパが定めたnation stateは「国民国家」と呼ばれているが、文字通り「民族に基づく国家」である。アフリカで民族間の対立が起き紛争が起きれば、自分たちは涼しい顔をして、昔からそういうお国柄なのだと言わんばかりである。よくよく考えて頂きたいものだ。

今の欧米大国を見てほしい。これまで自分たちが自分たちのためにと思って蒔いて来た種が、皮肉にというか徒花(あだばな)となって花開き、世界のあちらこちらで収拾もつかず、右往左往しながらモグラたたきを続けている。メディアもほとんどその時々の事件を追っては私たちに報道する。時たま評論家が現れて解説してみせるが、現状分析が精々である。私たちの多くがこうした「事件中心の情報」に惑わされて、その根っこの本質や背景が見えなくなっているのではないか。今が大変なので、その源や未来のことなど考える余裕がないと言わないでほしい。近視眼でみることに馴らされているから、私たちも目先のことに振り回されるのである。

(二) アフリカ諸国が持つ有利な条件とその希望の未来

だから今こそ、視点をアフリカ大陸に移して、彼らが今何を考え、どんな未来を描いているのか、またその実現のために、いかに苦心して闘っているかをよく見て頂きたい。

アフリカ諸国は、幸運にも、これまで先進国から充分尊重されて来なかったことが幸いして、例えば日本などのようにグローバル化の波に洗われていないことだ。二〇〇一年アメリカ市場で五兆円、グローバル市場で一〇兆円の損失に始まり、二〇〇七年のサブプライム住宅ローンの破綻で数十社が倒産、それによる二五〇〇兆円とも言われる損失を銀行が背負い、それを政府が税金で救うという構図がアメリカ発で始まったことはまだ記憶に新しいことである。これらの金融破綻劇の担い手がヘッジファンドであり、吸収合併劇を繰り返す金融機関である。その魔手が幸いにしてアフリカまで未だ及んでいないことである。これらが実体経済とはおよそ程遠い言わば博打(ばくち)市場が世界経済を支配しているというだけでなく、世界経済そのものを空洞化していると言わなければならない。アメリカの時代は終わり、失われた二〇年、やがて三〇年となる日本も先がないと見られている。事実IMFでさえ、今どれだけの借金を先進諸国が抱えているのか、それを補完する資産がどれだけ残っているのかが計算出来ないという事態である。

ではなぜアフリカがこの泥沼に引きずり込まれていないかと言えば、第一に、これまで先進国が資金投資を行って来なかったからである。例えば二〇〇五年度の外国直接投資額をみると、北アメリカが二兆四千億円で六五％を占め、次いでヨーロッパの一兆円で二九％、アジア全体は一九〇〇億円で五％、その一方で何とアフリカ全体で三五億円、一％にも満たないのである。この状況は少しずつ変化して来てはいるが、逆にそれだけアフリカ諸国の方はグローバル資本やグローバル企業がもたらして来た膨大な損益や危機とは無縁であったし、貿易総額も世界全体の三％にも満たないという事実にも通じる。

第二に、為替相場の変動を利用した金融資本の影響も受けることがない。アフリカ・フランは固定相場制を維持しているために、カジノ・グローバル資本から自由であることである。事実、経済成長率は過去一〇年間、一貫して五％台を維持しており、後半は二〇〇六年六・一％、二〇〇七年六・三％、二〇〇八年五・九％、二〇〇九年六％と順調なペースを維持している。この事実は二〇二五年までに、いわゆる中間所得層の増大が見込まれることを示唆している。最近注目されている議論に、ロストウの「追い付き理論」とは真逆の話として、若手のフランス人経済学者トマ・ピケティが、『21世紀の資本』において、よく指摘される二〇〇八年金融危機から、アメリカ経済はゆっくりと景気回復過程にあると言われてはいるが、中間層の所得の伸びが見られない。その反面一〇％の富裕層の所得が、八〇年代以降高まりはじめ、二〇〇〇年代には四五～五〇％と過去の最高値に近付いていると言う。彼は具体的指標を駆使して明らかにしているだけに説得力があり、シカゴ学派を初めとする保守派経済学者も反論に躍起となっていると言う。先進国を代表し、今も世界経済を牽引しているアメリカの話であるだけに座視できないばかりか、日本を含めOECDに属する先進諸国（三〇カ国余）の未来に大きな警鐘を鳴らす話である。時に指摘される換金輸出企業がもたらすアフリカの格差とは比較にならない深刻な話である。

(三) アフリカをめぐる負の神話と未来への大いなる希望

第一に、私たちは「アフリカは貧しい国の集まり」というイメージを持ち勝ちだが、本当にそうであろうか。すでに上で述べた、二一世紀に入ったGDPの順調な伸び率は、もとよりそれだけが豊かさを測る数字ではないにしても、アフリカは貧しい国の集まりという負の神話は成り立たない。欧米日など先進国のGDPとは明らかに異なり、実態経済の伸びをそれは示しているからである。事実、例えばアルジェリアは二〇一二年一〇月にIMFに対して五〇億ドルを資金提供しているし、「貧しい国」の筆頭と考えられているギニアも、ユネスコが二〇〇八年に「生命科学賞」を創立した時に三〇〇万ドルの銀行口座を提示している。またポルトガルの植民地であったアンゴラも、ポルトガルの政府系企業が苦境に陥った時に決定的な助け舟を差し出したことを忘れないでほしい。「アフリカは貧しい」などと勝手に思い込んではならないのである。

第二に、私たちがよく話題にする世界の人口増の問題についても、ブラック・アフリカの人口増は大方の予想とは異なり、このところ二%台に止まっている。この程度の人口増こそがちょうど若い働き手への世代交代の保証を意味しているとは言えないであろうか。今日一般に流布されている過剰な人口増の話は、ラテンアメリカがもっとも深刻で、二六％に達している。つまり人々がよく口にする人口爆発の神話は、実はここでもお門違いであることが分かるであろう。

第三に、近年クローズアップされているアフリカの鉱物資源である。この鉱物資源が投機の対象とされる危険性はゼロではないであろう。しかしこの分野では、欧米より中国の進出がはるかに目覚ましい。従って欧米諸国との取引ほどリスクは少ないと言える。アフリカ諸国はこの分野での新たな可能性にも後押しされ、しかも今日欧米先進国を初めとする国々が直面している世界同時不況や為替・金融危機などに巻き込まれることもなく、これまで述べて来たように、アフリカ大陸こそ、これまで私たちが度々持ち出して来た「持続的発展」へと安定した歩みを推し進めることが出来るのではないであろうか。

こうして、今日アフリカを含めた少なくない識者が指摘しているように、欧米型近代化に代わるオルタナティヴをアフリカ人自身が創生し、互いに連携して経済共同体を形成し、二〇五〇年に向けた希望のシナリオ、つまり一九六三年に加盟国三〇カ国で始まったアフリカ統一機構（ＯＡＵ）から、五四カ国で構成される United States of Africa の夢を実現する道をすでに歩み始めていると見るべきであろう。

そして最後に、私たちはと言えば、世界をいつもそこから見ようとする欧米先進国からではなく、つまり上からものを見る目線にきっぱり別れを告げて、アフリカは貧しい発展途上国だとみなして、勝手に手を出すことを止めることが大事なのではないのか。

最近手にして読んだ本が二冊ある。一つ目はアフリカ人が二〇〇九年に書いたもので、タイトルは『アフリカはアフリカが救う』（L'Afrique au secours de l'Afrique）、いま一冊はそれより三年前にフランスで上梓された『アフリカが西側諸国を救う』（L'Afrique au secours de l'Occident）である。ここでは前著は取りあえずおくとして、後者の著書がアフリカ人のエリート大学教授ではなく、パリ第八大学ヨーロッパ研究専攻の准教授のフランス人（女性）であることに注目してほしい。彼女はその「序論」（Introduction）で、大要次のように述べている。

「時間に支配されることを拒み、個人と共同体の関係、儀礼慣習の運営、財産の蓄積に対する考え方、環境保護など、近代西欧の価値観とは異なる伝統的なアフリカ社会がもつ価値観を述べる。こうしたアフリカ伝統社会の価値観を知ることによって、これからの世界をより公平に、より謙虚な姿勢で、支配関係のない見方でみていくことができるのではないだろうか。さらに、アフリカには、我々のものとは異なる価値観と思考様式（メンタリティー）がある。それこそが行き詰まった現代社会を救ってくれるのではないだろうか。なぜなら、異文化を尊重するために努力することが、今日の人類を救うと思うからだ。多くの民族が共存するアフリカ大陸は、異文化社会の象徴だ。西欧とアフリカの関係によって、世界観全体が変わるといえる。いいかえれば、現代世界では、多様性を尊重しそれを受け入れることだけが、人類を救い、差別のない誰もが誇りをもって生きる世界を実現する道だと考える。医師のドミニック・デプラは「西欧が、南世界の生活は許容できず、アフリカ人の生活を悲惨だと考えるのはまちがいだ」と語る。資本主義とは正反対の生活原理をもつサハラ以南のアフリカ社会の人々の暮らし方は、グローバリゼーションの欠点を見直す梃子となるのではないか。アフリカの文化的財産の力でグローバリゼーションを正すことは、アフリカのために役立つだけではなく、その効用は世界中で通用するのだ」

そしてこのフランス人女性の主張は、上記の著書『アフリカはアフリカが救う』にも通じるばかりでなく、昨年（二〇一四年）明らかにされた、アフリカ統一機構の委員長 Nkosazana Dlamini-Zuma の主張にそのまま通じる（"Jeune Afrique", hors-serie, 2014, No.35, pp.30-31）。またこれも国際開発研究機構代表のフランス人の手に成る今一つの著書『アフリカの時代』（二〇一二年刊、Odile Jacob）でも次のように指摘している。

「驚くべきことに、私たちはアフリカのことをほとんど全く分かっていない。そこには、アフリカを発展させ、生き返らせるに足る巨大なヒュウマン・パワーが実在している。私たちはこの多極化の時代にアフリカが大きな役割を担っていること、またその期待に応える十二分の活力を持っていることを認識すべきである」

このようなヨーロッパ発の、またアフリカ発の情報や指摘に、先進国を自任する私たち日本人もしっかり耳を傾け、アフリカのことは基本的にアフリカ人に任せるべきである。また仮に手を貸してほしいと言われても、その人たちがどういう階層の人で何をどう助けてほしいかを充分確かめてからにしてほしい。おそらくその方が、遅い早いはあるとしても、やがて紛争も収まり、平和もやって来るに違いない。またそれだけではない。その成果は欧米や私たち自身にも返ってくる。今やアフリカの人たちの経験から、今度は私たちがむしろ沢山のことを学ぶべき時なのである。つまり、そうすることで、地球全体として危機に見舞われている私たちのこの地球世界も、絶望の淵から希望の道が開かれるのではないかと考えるのは私の独断であろうか。是非、日本の識者、あるいは知識人・文化人にご意見を伺いたい。

（二〇一五年）

アラブ詩への招待

一

イスラム以前のジャーヒリーア時代のアラブ詩が音読、すなわち声を出して読んで聞く文化によって成り立っていたことを踏まえて、まずアラブ詩の口承性から話を始めたいと思います。もとよりこの時代の詩は文字として記録されてはいませんが、伝聞によって記録され、保存されておりますので、それを基にアラブ詩が持っていた口承性の特徴と、そのことが書き言葉で表現された詩とその美学に、どの程度の影響を与えたかを検証したいと思います。

二

イスラム以前の詩は歌として、つまり目で読まれるためにではなく、耳で聞かれるために創られました。それは文字ではなく、声だったのです。声は、身体で奏でられる音楽、いのちの息吹です。それは語られる言葉ですが、同時にそれ以上のものでもあるのです。詩は語る言葉を伝えるのですが、語る言葉が伝えることが出来ないあるものでもあるのです。そこには深遠なるものを捉える手掛かりが在って、歌声と語り、詩人とその声との間で豊かで複雑なやり取りが交わされているのです。そのような詩は、歌い語る詩人の個性とその歌声の発現とで成り立っているのですが、そのいずれも物差しで測ったり、定義したりすることが出来ないものと言えます。例えば私がある詩の語りを、歌として受け止め聞く場合、私がそこで聞いて理解しているのは言葉だけではなくて、むしろその言葉を歌として表現し、語っている存在を、つまり身体を超えて魂の世界へと導くあるものを聞いているのです。そこまで辿り着けば、私たちは詩的表現をもはや孤立した言葉としてではなく、むしろ声と言葉の融合として、音楽として、歌う言葉として受け止めることが出来ます。このような詩の表現は、意味の単なる伝達とは違う精神的活力、言わば歌う言葉に変身した主体、言語と化した、いのちそのものなのです。かくして言葉の音としての価値と、それが表す情意的・情緒的暗示（共示）との一体化を実現することになるのです。

三

詩の口承性は、声が耳を刺激することで始まるわけですから、まずは、詩の朗誦に耳を傾けることを意味します。口承性が詩の発声法にとって格別の技術を持っていたのもそのためで、むしろそれは発声された詩の内容に関わるのではなく、発声の在り方にこそ、その真髄があるのです。イスラム以前の詩人が、聴衆は聞く前にすでに詩の内容についてはよく知っていたと語っていることからも、ことの真相は明らかです。当時の詩人は、その時代社会の習慣、伝統、偉業、そして戦争やその勝利と敗北などを語っていたわけですから、詩に期待された格別の味わいは、その内容にではなく、その語り口の妙にこそあったのです。ですから詩人の語り口が、これまでにない格別のものであればあるだけ、その独創性が注目され、喝采され、その詩人に対して絶大な評価が与えられたのです。つまりジャーヒリーア時代の詩人たちは、当時の社会集団の共通性や公共的含意である倫理、美学、認識などについて、独特な言い回しを使って、ユニークなイメージをアートとして与えていたのです。その点で言えば、当時の詩人は自分自身のことよりも仲間である集団について語ることの方が多かった。あるいは、集団を語ることで、自分自身を語ることが出来たのだと言えます。言わば集団的存在の中に同化し、溶け込んで行くことで、自分の特性がその声と言葉によって発揮されたということです。彼は時代社会の証人であると同時に、吟遊詩人でもあったのです。しかしイスラム以前の詩がこのような意外な特徴を持っていたことに余り大げさな意見を持たないようにお願いします。私はここでは、詩の内容の一定した特性と、その表現の多様性について申し上げたかったのです。

四

はっきり申し上げて、詩の朗誦（inchad）や記憶がイスラム以前の詩を広め、保存するのに貴重な役割を担って来ました。

歌（nachid）の語源の意味を考えるならば、詩歌は声と人々によって朗誦される詩そのものを意味していることが分かる。イスラム以前の詩が、その起源において、歌われることにその特徴があったように、詩人自身も自分の詩を歌うことが大事なことだったのです。九世紀アッバース朝時代にアラブ伝統文化を擁護したジャーヒズが述べているように、詩は「その作者自身の口から発せられることによって」もっとも美しい作品となるのです。イスラム以前のアラブ人にとって、朗誦の才能は詩の才能と切っても切れない関係にありました。この朗誦の才によって、詩は聴く者の心を捉え、引き付け、感動させることが出来たのです。それほどこの時代にあっては、聴くことが言葉の深い理解や音楽的感銘を受ける上で不可欠の要素でした。一四世紀の歴史家イブン・ハルドーンも述べているように、朗誦は「言葉使いの要諦」なのです。このような観点からして、朗誦が美しければ、それだけ詩への感銘がいっそう強まるのです。

したがって詩の朗誦は歌の一形式と言えます。アラブ文学の遺産は、この事実を無視しては肝心の手掛かりを得ることができません。詩人はしばしば歌を歌う鳥に例えられ、詩は鳥の歌とも比較されるのです。このような考え方は、「詩の導き手は歌である」という有名な言葉となって残されています。因みにイスラム時代初期に「預言詩人」と言われたハッサーン・ビン・タビートに、「あなたが詩を語るなら歌いなさい／歌はまさに詩のふるさとなのです」という詩句がありますが、ここにイスラム以前の詩が歌と密接に結びついていた秘密があります。こうして初めて、「アラブ人が詩を歌の良し悪しで測ったこと」や「歌が詩の尺度である」という意味が理解できるのです。

イスラム時代一〇世紀にアブ・アル・ファラジ・イスファハニによって五〇年かけて編纂された二四巻の『詩歌集』は、詩が声で発せられる文学、すなわち朗誦であり、歌であったことのもっとも優れた証拠です。

一一世紀の批評家イブン・ラシークは歌が脚韻と韻律に源泉を持っていること、また「韻律がメロディの基礎であり、詩句が音楽表現の基準」なのです。上記の『詩歌集』のなかで、著者は「韻律に即して詩が朗誦され、それに促されて子供たちが踊った」と証言しています。彼らにとって詩歌は個人的な行為なのではなく、集団的な行事だったのです。

イスラム世界を代表する歴史家イブン・ハルドゥーンは、このような現象を次のように解説しています。「詩歌ははじめ芸術の重要な部分であった。というのも芸術は詩歌が音楽と一体化することによって詩に依存していたからである。そういうわけで、アッバース朝時代（七五〇～一二五八年）のエリートたちは挙（こぞ）って詩歌の技術習得に情熱を傾けたのです」。

しかしその一方で、ハルドゥーンは歌という芸術を、「音の間隔を規則的に配置してリズムを持たせることで、詩歌という音楽をつくること」と定義しています。

当時の儀式には詩の朗誦が必ずあったから、記号学的な関心にも誘われるでしょう。しかしここでの主題ではないので割愛させて頂きます。ただし物語文学の歴史がちゃんと存在していて、詩を歌うことは、同時に長い間引き継がれて来た身振りや衣装などの伝統的習慣をも内包していたのだという点は、ここで指摘しておきたいと思います。例えば立って詩を朗誦した詩人もおり、座ったまま詩を朗誦した詩人もいましたが、それは詩人それぞれの尊厳の示し方でした。ですから、六～七世紀の詩人ハンサーのように、身体全体を使って詩を朗誦した詩人もいたのです。伝えられるところによると、彼女は自分の詩を朗誦する度に、自己顕示のあまり恍惚状態に陥ったと言います。そういうわけで、詩の音韻性には、声や身体や言葉や身振りという人間の行為が伴っていたのです。衣装の例を挙げますと、まるで婚礼や祭礼の場に招かれたかのように、特別の豪華な衣装をまとって自分の詩を披露するものもいたとのことです。そしてイスラム時代に入った後も、ジャーヒリーア時代を思い起こさせようとするかのように衣装をまとって自分の詩を朗誦することもあったのです。

イスラム以前の時代にあって、もっとも見事な方法で詩を朗誦した詩人として挙げられるのが、アーカー・カイス（?-）ですが、彼は当時のカリフ（ムアーウィヤー）から「アラブ人の中のアラブ人（シンバル）」と呼ばれたそうです。このようなあだ名を付けられたのには多くの説明が必要でしょう。例えばですが、彼は自分の詩を聴く聴衆を恍惚状態に導くために、アラブ人式の方法を用いたとか、また呪文を唱えるように一気呵成に朗誦したか、そして「アラブ人の多くが彼の詩を好んで歌った」という事実があったからなのです。さらに「彼の詩は実に素晴らしい!」、「彼の詩の朗誦は実に見事」などと評判が広がっていたからでもあるのです。このようにお話すれば、アラブの詩がいかに朗誦、呪文、歌と密接に関係しているかがお分かり頂けるでしょう。七〜八世紀の詩人ファラズダク（?-）が当時の詩人アブバード・アルーアンバリ（?-）の詩の朗誦のあと、「あなたの朗誦のお蔭で詩が私の精神を純化してくれました」と答えたというエピソードも納得されると思います。

五

歌が詩の本体だったのです。言語、リズム、メロディはそれを組み立てる要素でした。ジャーヒリーア時代の詩人が詩を語るときには、自分の言葉の働きを音に合わせていたのです。つまり歌は語りの芸術として、聴くものの心のうちに歌を再生させていたのです。

それでは、イスラム以前の詩歌が聴く者にこのように強烈な感情を掻き立てることのできる形式を生み出し得たのはどうしてなのでしょうか。それは一気にではなく、徐々にリズムの独特の構造を組み立てる努力を積み重ねて行った結果、完成されたものなのです。

アラブの詩のリズムは、多くの研究者が信じているように、アラビア語特有の、サジュ＝sajʻという基本的な三語根の繰り返し、これが詩の音韻の最初の形でもあり、詩のモデルとなって行ったことで、アラブ詩ならではの独特の詩的言語が生まれたのです。

次いで韻律（ラジャズ、rajaz）の形式が生まれました。先ほどの三語根を基本にした、六音節句なり、十二音節句なりの規則的な詩のリズム単位が形成されたのです。詩（カシーダ、qasida）は、このようなリズムが発展し、完成して行ったものなのです。つまり詩は、二つの三語根から成る同一音や類似音が入れ替わり、かつ響き合うようにして、相互に繰り返される二つの六音節から成り立っていたのです。
ところで三語根（サジュ、saj'）とはどういうものでしょうか。アラビア語の三つの語根、すなわちs（シーン）とj（ジーム）と'（アイン）の三つの子音から成り立っているわけですが、アラビア語の詩的文章の基本的な三語根は、ある時は繰り返し聞こえてくる鳩の鳴き声を、またある場合には単調で物悲しいラクダの嘆き声を想起させるのです。この語根の音は、さらには努力（qasd）、つまり辛抱と規律を守ることで達成される目標を連想させることがあります。こうして、音表現が移調されながらリズムを持って一つの詩句ができているのです。確かに詩の音節は韻をもつ語句で出来ていますが、また音節化するということは韻（fawasil）をもつ語句を創りあげることではありますけれど、だからと言って韻律そのものを構成するわけではないのです。

次にこの基本的な三語根にアラブの修辞学者が与えている多様な定義について見てみましょう。最初の定義は次のようなものです。同じ詩文の中で、違う場所の詩句が互いに調和を守りながら共鳴し合う場合です。つまり詩句のそれぞれのパートが、ある同一の位置関係の中で同じ母音が繰り返されること（半諧音）によって、協和する形を指します。

次の定義は、詩文が二つのパートで構成される時に、最初の詩文の各末尾が次の詩文の各末尾と共鳴し合うことで（半諧音）、韻を踏むという形を指示します。この第二のケースは、気取った趣味に陥りさえしなければ、もっとも美しい韻律を持つ詩文と言えるというのが、修辞学者の意見です。

第三の定義は、詩文の各パートが均等に出来ているが、分節（最少意味音単位）のレベルでは類似していながら、その半諧音（詩句の末尾における同一母音の繰り返し）のレベルでは、異なっている場合を示しています。

イスラム時代に入ると、当初は上記のような半諧音の形がほとんど姿を消してしまいます。実は半諧音は、ジャーヒリーアの時代にあっては、占術や占い師とも関係を持っていたために、預言者ムハンマドが、「占い師が使う半諧音から自分を守りなさい」と言って、半諧音を禁止してしまったのです。しかし今では誰もが知るように、その後の時代になって、この伝統的な半諧音の形式が、演説や書簡詩体や芝居など散文調の文学で、ある時はかなり誇張され、またある時は態(わざ)とらしく、やや型にはまった空疎なものとなり、マニエリスムの趣を強めることになるのです。

詩の場合は、半句と呼ばれる同じ二つの詩句から出来ています。詩（qasid）と同じ語根の動詞 qasada は「同じ二つの部分に分割する」という意味を持っているのです。ですから詩という呼称は二つの部位が互いに反響し合うという、その形式から生まれた言葉なのです。一方、イブン・ハルドゥーンは、詩という言葉は、詩人が自分の目的に到達するために、ある技法からいま一つの技法へ、またある意図からいま一つの意図へと移動しつつ、これらの部分を見事な調和をもった連鎖に作り上げるということから、生まれたものだと考えています。アラブの古詩や伝承の擁護に努めた九世紀の修辞学の権威アル・ジャーヒズ自身は、詩の語源を次のように説明してみせてくれます。

「詩を語る者は絶えず考え続け、自分の目標に傾注し、自分の詩の美を実現せんと追求して止みません。ですから、詩 qasid という言葉は、〈しかじかの意図を込めて〉という意味に通じる、q s d' という語根から成っていることからも分かるように、あることを成し遂げるための図式 (fa'il) ということから成立した言葉です」と。

つまり詩という形式は、〈魂が求めるもの〉に応える最善の形式なのです。そしてそれこそが、歌や朗誦に何よりもふさわしい形式なのです。しかし詩のなかのある一行がそれ自身独立した単位を成しているのは、朗誦や歌が聴衆と繋がっていることでも分かるように、その必要性から来ているのでありまして、全体性よりは細部に拘ると言われるアラブ人の精神的傾向から来ているわけではありません。

さらに注意して頂きたいことは、アラブ詩の音韻は何よりも歌と音楽がもつ基本的な特徴から来ているのです。その基本的な前提は、音韻がそれ自身のために用いられているのではなく、詩句の流れに組み込まれ、韻律と意味とが見事に統合されるように作られているということです。繰り返される詩句の区切り、つまり脚韻は子音と母音が一組になっているのです。詩人は、韻を踏むために、同じ詩のなかで、同じ単語を二度使うことが出来ません。こうしたあれこれの決まりが、これまで音韻と歌との関係について申し上げてきたことに符号することがご理解いただけると思います。

最後にいま一言付言しますと、詩句の最後の音は慎重に選ばれなければなりません。というのは、そのことが詩の朗詠法の良し悪しに直接影響を与えるからです。つまり韻が詩句を生ましめ、次いで詩全体が精神性と日常性と音楽性とを併せもった一体性を獲得するに至るのです。

六

イスラム時代以後の詩の批評や理論も、以上で述べたジャーヒリーア時代の詩が持っていた口承性という特徴を引き継ぐことになるのです。これらの特徴は、今日に至るまで、アラブ詩のスタイル、嗜好、詩に関する思想や知識について、その基本的な基準・規律としての役割を果たし続けています。

その詳細な経緯や内容について、そのすべてをここで紹介する時間はありませんので、詩言語の屈折（?）、詩の韻律、それに聞き取るものとして詩の特徴という三つの基本的な問題に絞ってお話したいと思います。

七

最初に、詩の口承性のコード化や、詩の規則、規範、その社会的地位を決定したシステム化が形成されたのは、実はアラブ人がそれ以外の人々と接触するようになって、アラブ人のイスラム文化と、ギリシャ人やペルシャ人やヒンドゥー教徒などの他の民族の文化との間に交流が始まって以後に起こったことなのです。アラブ詩の理論家は、こうして出来たコードからあらゆる詩的表現の原則と詩それ自身が持つ普遍的な法則を作り上げることになったのです。この理論家たちの目的は、アラブの詩がもつ独特の美的音楽的特徴を顕彰し、他民族がもつ文化と差別化し、自分たちの詩文化を守り、徹底することにありました。こうして、アラビア語とアラブ詩のアイデンティティが堅持されることになり、アラブの詩人が本質的に担っていた、他とは異なる特徴を際立たせる結果になったのです。

アラブ民族と他民族の人と文化の交流と融合の時代であればこそ、自文化を差別化しようとする強い意志が、アラブ人の知的活動を何より重要視しようとする思いから生まれたと言えます。なかでもアラブの歴史家が「世界の心」と呼んだバソーラ（イラク南東部バスラ地方の首都。バクダッドに次ぐ第二の都市）で顕著でした。というのも、その頃、詩語の誤った発音や誤法など文法的な乱用が起きていたこともその背景にありました。例えばペルシャ人が自国の言葉や文法的な規則をアラビア語のなかに導入しようとしたり、自国の音楽の宣伝をしたりという傾向も見られたからなのです。

二〇世紀エジプトの文学者タッハ・フサインは、この時代の文化状況を次のように簡潔に説明しています。

「コーランと宗教学、それに詩とそこから生まれる文法とアラビア言語に基礎をおくアラブの純粋文化が一方に在り、他方に医学と哲学に基づくギリシャ文化、さらにはペルシャやヒンズーやセミ系民族に起源をもつ東方文化が存在していて、それらが一つの混成文化を形成していた」

アラブの学者たちが文法の規則やその正しい使い方を定着させようとするのは、このような状況下にあってのことで、さまざまな歪曲がコーランやハディース（預言者の伝承）に持ち込まれることをまずは懸念してのことだったのです。また韻律法に拘るのも、アラブ詩の韻律を守り、ギリシャやシリア方言やペルシャやヒンズーなどの詩のリズムや韻律とはっきり区別させて、アラブ詩の技法とコミュニケーション手法を確固たるものにしたいと願ったからなのでした。

八

一四世紀の著名な歴史家イブン・ハルドゥーンは、その主著『アラブ世界史』のなかで、アラビア語とアラブ詩の口承性の規則の体系化を提起しています。彼は、アラブ人はその天賦の才のお蔭で、詩を歌として朗誦する習慣を身に付けていて、特にその言葉遣いを規則化する必要もなく、自分たちの好みと感性の赴くままに言葉を駆使していれば、それで良かった。しかし耳で聞き取ることが言葉の能力を高めることもあって、アラブ人の競い合う気持ちが、逆に趣味の悪い言い回しを聞くにつれて、悪い傾向に走り始めるようになって行った。そこで学者たちは、この傾向が広がることでコーランやハディースの言葉にまで累が及ぶのを恐れ、アラビア語の正しい使用法を体系化したのだと述べています。こうして今日では普遍的な原則と基準に照らして言葉が使われるようになったのです。

彼らはあらゆる種類の話法の検証を行い、類推の手法で分類しました。例えば、格に伴う語尾変化では、主語の場合は主格の形を採り、直接目的語の場合は対格を採り、またその向きが変化すれば、語尾変化もそれに伴って起こることになります。このような変化は、変化を要請するという意味で動作主（agent）と名付けられています。これらはいずれも文法学者が名付けた用語で、それを文字で確認して残し、特殊の用語として体系化して文法の名を与えたのです。

その最初の文法学者が七世紀のアブール・アスワド・アル・ドゥーアリです。その仕事を引き継いで完成したのが、八世紀のハリール・ビン・アフマド・アルファラヒーディーで、文法書（『アインの書』、字源書）を書いて、語彙記述学の分野を開拓しました。その結果、アルファベット文字のあらゆる可能な組み合わせが出来上がり、二子音単語から、果てはアラビア語で最も長い五子音単語までが文字で表記されるようになったのです。

アブール・アスワド・アル・ドゥーアリは『コーラン』における屈折語を取りあえず決定した最

初の学者です。その後ナスル・ビン・アセム・アル・ライティが弁別記号（アクサン記号）を使って幾つかのアルファベットを区別する方法を発明したのです。

さて、上記で紹介したハリールの方は文字の使用法を論じたと言われています。とりわけ歌とリズム、それに神学と論理と失敗例に言及したようです。そしてこのように言われていました。「彼は科学と音楽の技術に造詣が深く、それについての本も書いていて、メロディや韻律の手法を的確に使いこなす音の配列について詳細に論じ」、さらには「歌とリズムの技術に関する本を書き、『音の構造』というタイトルを付けた」とも言われています。

ハリールの文法研究は、単語とその起源、語形論、語尾変化、さらに文字と、その単独語や複合語の場合の言語学的な音声、その派生に伴う問題にまで及んでいます。別の角度から言えば、彼はアラビア語の言葉をさまざまな文章表現を背景に子細に研究した上で、単語をそれ自身として分析し、そこから言葉の一般的な意味を引き出して見せました。その意味でハリールは、単語を音の連続として最初に捉えた、音声学の創始者なのです。彼の音楽のセンスが、「音の分節点や分節の仕方、それに発音の際の開口度を定義する上で決定的な役割を果たすことになったのです」。こうして「動詞体や名詞体の構図が出来上がり、一つのリズム単位からなる多様な種類の詩の韻律がコード化されることで、例えば〈下降や静止〉など、より微細な区切りの分析へとさらに進むことが出来るようになったのです。その結果アラビア語の単語とアラビア語では優先される構図に馴染まない外国語との区別化が容易になったのです。そして単語を二文字、三文字、四文字、五文字に分類して、単語が構成されている形の調査目録を作成したのです」。

格による語尾変化が文学の領域では思わぬ効果を持つこともありましたが、当時は格による語尾変化を無視した文学作品だけが称賛されていたのです。今日、民衆詩や方言詩と呼ばれる類の作品は、例えば一例だけ申し上げると、『千夜一夜』のような傑作に至るものまでが無視されたのです。しかしそこに今一つの問題、つまりアラビア文学の長い発展の秘訣がまさにそこにあるのです。

九

ハリールが行った詩の韻律の結論とコード化によって、もっとも優れた創造的な作品が発表されるに至ったことは争う余地がありません。それらの詩的労作には、優れた音楽的センスが発揮されていたばかりか、驚くべき分析と理に叶った力も兼ね備えていました。

一〇世紀の大学者ファラービーの『偉大な音楽の書』でもハリールの天才振りが指摘されています。ファラービーはハリールが実証して見せた詩と音楽との関係を精密な理論的手法で説明しているのです。このファラービーの分析によって、私たちはハリールの業績とその先見的役割をはっきりと理解することが出来たのです。

ファラービーは詩と音楽が芸術における唯一の同等のジャンルであること、従ってこの芸術作品は音の動きと静止との調和と間合いを測りつつ、全体の構成が整えられることによって成り立っている事実を明らかにしたのです。しかし音楽（歌の作曲）と詩（詩の作詞）との間には本質的な違いも存在します。詩は言葉のリズムによる構成と、文法的な規則を尊重しつつ、詩人のセンスが生かされる形で、言葉が組み立てられます。一方、音楽の方は、リズムをもつ言葉を作曲の目的に即して、言葉の質よりも数に重点を置いてハーモニーを創作し、作品を完成するのです。

詩や韻とリズムを持つ散文の技術の方が、作曲法より先に存在していたことが一般に認められています。歌う詩がまず在って、韻律はその後に完成され、また音楽楽器の方も歌が歌われるようになった後に発明されたことからもお分かりのように、音楽と詩との関係は、単なる音と言葉との関係ではなく、アラブ独特の関係性から生まれたものなのです。

普通のコミュニケーションの場合は、言葉の効果は聴き手の能力を超える内容を含むものではありません。その場合は、言葉を発生する間の取り方は、普通の表現の仕方です。そうではない場合、つまり聞き手に快い気分を与え、相手の感性を目覚めさせるために言葉の効果を高める場合には、抑揚や語調を変えたり、間を測ったり、長母音を際立たせたりするなど、朗読や詩の朗誦の技術を発揮しなければならないのです。この特殊な方法で言葉を発するためには、朗誦する側に情緒と想像力の発揮が求められ、そのために言葉の各部分を繋げたり、母音化した子音の発音を伸ばしたり短縮したりしながら、リズムを測る技術を身に付けなければならないのです。このように言葉がメロディとなっている、言い換えれば言葉が韻律を持っているという事実は言語学に由来することですから、言葉の音楽性もまた言語の違い、つまり各言語の発声の仕方や音楽的工夫の方法の違いによって異なるわけです。こうしてアラビア語の詩については、私たちはハリールがアラブの詩と他国語の詩との違いを、そしてアラビア語の音楽性と他国の言語の音楽性との違いを明らかにするために、アラブ詩の韻律を発明したという事実を今も忠実に実践しているのです。

このようなアラブ詩と他の言語の詩との違いは、アラビア語の音韻論的規律や音節的な構造から来ていまして、それによってアラブ詩人の詩の創作に対する姿勢や音楽性への適応能力が生まれたと言えるのです。

前述のファラービーに至っては、アラブの詩的言語が生み出す音楽こそが唯一自然なもので、あらゆる芸術のなかでも、それがもたらす情緒という点でも、それが聴く者の感情を呼び覚ます力強さという点でも、最高のものだと断定しているほどです。と言うのは、アラブ人、さらに広くオリエントの人々がそこに格別の重要性を与えるのも、そもそも人間にとってもっとも自然なものだからなのです。それは聴く人に楽しい気分や喜びや快感を与えます。また想像力を豊かにし、感受性や瞑想力を高めてくれます。

人間の声音は自然の歌の最初の理想的な楽器で、言わば声帯という弦で高められたもので、詩はその産物なのですから、詩と音楽の合体はある意味でもっとも自然なものだと言えます。

ファラービーは、こうして完成された旋律を、詩的言語の種別に従って三つのカテゴリーに分類しました。第一に分類されたのは、力強い旋律、つまり魂に力を与え、感情を豊かにする旋律です。二番目に分類された旋律は、鎮める旋律、つまり心に安らぎを与える旋律です。三番目は、調和の旋律、つまり力強さと穏やかさの間合いを図って、聴く者の心に静謐と安寧の境地をもたらしてくれる旋律です。

次にリズムについて、ファラービーは、旋律を規則的な間合いと規則的な持続とを時間的に配分したものだと定義しています。従ってリズムの単位は、韻律のそれぞれ異なる最小の単位で出来ていて、音韻はこれらの最小単位を適宜組み合わせたものに過ぎません。この組み合わせは次のような要素の積み重ねによって成立しています。

分量の少ない順に例示しますと、

（1）「結び」と呼ばれるもの――「軽い結び」、「重い結び」
（2）「繋がり」と呼ばれるもの――「纏まった繋がり」、「間隔のある繋がり」、「二つの繋がり」
（3）リズムの単位、あるいはリズムの核となるもの、または脚など
（4）半句内の異なる部分を結び合わせたもの
（5）半句（ドアの扉とも、二音綴詩句の半分と呼ばれるもの）

（6）一二音綴よりなる詩句（群）

かくしてこのような韻律の測定が、一つの手段、または道具となり、韻律が個別の旋律法、つまりメロディ部分を幾種類かにアレンジすることも可能になるという仮説が成立するわけです。

ファラービーが述べているように、「詩句は一つひとつの言葉の集まりの中での決まりによって決定されるのです」。アラビア語では、詩句は「すでに完成されている韻律に従って取り込まれた言葉なのです」。

ですから詩は朗誦に固有の慣習に左右されることになるのです。つまりイスラム以前の口承と切っても切り離せない歌なのです。そこから、詩的口承の多様なリズムが、詩的表現の規則や基準へと形を変えて行くという問題が生まれることになります。どのような言葉も、それがハリールによって記述され決定されたリズムと韻律に従ったものであるならば、それは詩と見なされます。

このような規範が完成され、根付くことになったのには、ハリールとそれに続く時代に、アラブ人と他民族との間で思想的葛藤が在って、理論化と合理化の文化風土が生まれていったという歴史的背景が幸いしたと言えましょう。こうして口頭で、また歌われる言葉がやがてコード化されて出来た韻律というものが、アラブのあらゆる詩的言語の本質を成すものとなっていったというわけです。

十

次に、詩的音韻性とそれを聞き取ることとの間の有機的関係、またそれが暗に示している規範や基準の問題をここでは取り上げたいと思います。このような関係の問題は、実は詩とその聴衆との関係が詩とその創作者である詩人との関係と相似の関係に在るとする原則の上に立って、当時の批評が全体として行われたという事実から来ているのです。ジャーヒリーア時代の詩人は自分自身のためにではなく、聴衆である他人のために創ったのです。と言うのも、本来詩は聞いてもらうために創られたものだからです。詩人の詩人たる由縁は、彼の個人的な発明や創作能力に無条件に依拠しているのではなく、聴く者の魂を呼び起こすに足るものを創造する能力にこそ依存しているのです。従って詩人は、自分の詩が聴衆が求める規範に合致するように工夫して創作するのです。自分の詩が、それを聞いてくれる聴衆にどれだけ理解されているかによって、はじめて彼の詩の流暢さが評価されるからなのです。

ところで、聴衆の魂の内にあるものと詩に求められる共通の規範とが混同されることも起こりました。規範への理解は聴衆に共通する趣味を反映するだけのものとも言えます。つまり詩人の創作した詩がまさに詩であるのは、語りそのものでも、その内容でもなく、一一世紀のペルシャのアラビア語学と文学の大家アル・ジャリアーニの表現を借りるならば、その「語り口」によっているのです。この語り口によってもたらされる詩の特性は、まずはその情緒的な性格によって発揮されます。ですから詩は陶酔と深い感動をもたらしてくれる「タラブ（興奮）」の状態を伝えられるか伝えられないかによって、その優劣が判断されるのです。アラブの詩が最初に詩として成立したのには、このような「聴く美学」とそれによって感動が与えられる「魂の美学」が大きく与っていたのです。それが後に、不幸にして、イデオロギー装置により、言わば一種の「情報の美学」に変身させられてしまったというわけです。

感覚の次元で言えば、この「聴く美学」を詩人は尊重しなければなりません。例えば漠然とした暗示、難解な語り口、「曖昧な示唆」などを回避して、「それとは違う表現を目指すことが詩人に求められたのです」（イブン・タバータバー）。従ってまた現実からかき離れていない、「直ぐに理解できる」メタファーだけを用いることが許されるのです。一三世紀のシャーフィイー学派のイスラム神学者アーミディーが述べているように、メタファーを用いると否とに関わらず、詩的表現は「実効性」の上に成り立っていたのです。

要するに、この美学は詩と思想との区別を求めたのです。例えば、九世紀バスラで活躍したアラブの作家・評論家ジャーヒズは、「詩は思考の助けを求めることなく、またいかなる解釈も援用することなく自ずから理解されるものでなければならない」と述べて、考えることと詩を理解することは全く真逆の関係であるとまで主張しているのです。

それ故、この詩と思想との峻別こそが、書かれたテキストとジャーヒリーア時代の口承性との対比を際立たせ、都会での妥協の産物を一切退けて、遊牧民文化の純粋性、すなわち朗誦し歌われる詩という特徴を堅持する傾向を強める結果となりました。このようにして、内省や思考や技巧との異質性が、そして自発性や生得性との同義性が自明のものとなって、アラブ詩の原理が確固たる位置を占めることとなったのです。一〇世紀の詩人アブー・スライマーン・アル＝マンティキーはこの原理を「人間自然（人間性）の霊的エネルギー」と定義しました。

では詩の美的形式はと言えば、八世紀の言語学者ファラービーの言い方によると、詩が言わば「音楽の行列の先頭に」位置づけられるに相応しい、音楽的で快い表現芸術となることが求められたのです。彼はまた、詩の調べが美しく快いものとなるには、誰もが容易に理解できる言葉で美と快感が表現されなければならないと考えています。そして詩の調べがより美しく快いものとなる品質として、清澄さ、律動感、しなやかさ、軽妙さ、素早さ、明晰さ、精妙さを挙げています。

このような特質は、分かり易い、明晰で、しなやかな言葉によってはじめて生まれ、そこに溢れるばかりの豊かな母音字による詩の調べが奏でられるのです。ですから「見慣れない」表現を持ち、発音も重苦しく難しい言葉で出来ている詩に対して、厳しい評価が下された理由もお分かり頂けると思います。そういうものとは違う、誰もが馴染みがあって、発音もしやすく、耳にも心地よく聞こえる言葉による表現が賛辞を得、聴衆も求めていたものを直接そこに見つけることが出来たというわけです。

例えば九世紀の詩人ジャーヒズは、このような問題への批評家の立場を端的に次のように説明しています。「もっとも美しい言葉とは、詩が形をあらわすと直ぐに意味が理解されるものを言う」。韻律についても同じようなことが言われました。詩人は自分が表現したい感情に忠実に韻律を選択しなければならなかったのです。ですから長い韻律は重厚な内容、あるいは波乱万丈な内容に適していましたし、繊細で、清澄な、軽やかな内容の詩には短い軽快な韻律が適していました。ある詩人たちは、韻律は自分たちの詩の特徴そのものから生まれるとさえ言っています。例えば、「アル・カミール（長いもの）」や、「アル・タウウイール（完全なるもの）」という単語などなどです。

さて、詩編が始まる最初の部分の美しさが、いかに大事かについてまだお話していませんでした。実は詩の最初の言葉が聴衆の態度を決めるのです。美しければ、聴衆は聴き入りますが、そうでなければ、聴衆はその先を聞こうとはしないのです。

十一

この理（ことわり）によって、ジャーヒリーア時代の詩が備えている口承性の本質が理解され、またその事実に即して、彼らがいかに伝達能力を究めようとしたかが理解されるのです。このような意味深い詩編の成り立ちを通して、初めて詩は詩人と聴衆双方のものとして、つまり詩人の自我と彼を取り巻く聴衆の心との間で双方向的に交わされるレトリックとして成立していったのです。さらに言えば、ジャーヒリーア時代の詩人が詩の創作へと駆り立てられたものと、それを聞こうとする私たち聴衆の心を駆り立てたものとが、同じ一つのものとなることによって詩が生まれたということなのです。この口承性には詩と生活との間の区別が一切ないということです。生活が詩であり、詩が生活なのです。詩の構造そのものが、コミュニケーションが成り立ち、その目的が達成されるように出来ていることがお分かり頂けると思います。ですから詩的言語の根底にリズムがあったのも、そのことで自己と他者の間に強い絆が結ばれたからに他なりません。つまりそれは存在といのちとの脈動であり、宇宙を動かしめているものすべてとの合一であり、魂と肉体との一体化なのです。

この意味でアラブ詩の韻律は、他の民族の詩人たちと基本的に違うものです。ヘブライやシリアやギリシャの詩人も、決して韻律を否定したわけではありませんが、それを詩にのみ限定された技巧として採用していたのです。当時の批評家たちがアラブの散文が他民族のそれとはまったく異なる独自のものであることを強調したのも理由のあることだったのです。またこの特徴ある散文には幾つかの発展の段階があったとも考えていました。初めは遊牧民がラクダを引率する際に、調子を取った言葉というか声というか、歌うような言葉を使ったことから始まって、戦争の激しい音や響きにも影響されて、最終的にリズムをもった音楽的諸単位、そして「脚韻」にも至ったと述べています。さらに脚韻そのものについても言及があり、それが一連の言葉の終わりを意味していて、詩の朗誦に伴って、言葉と共にジェスチャーを交える都合から自然に生まれたものだったと指摘しています。

実はこの脚韻から韻律が発見されたのだと、かなりの研究者が考えています。事実、脚韻の方が韻律より古くから有ったもので、半諧音という形で知られていました。このようにして見れば、ジャーヒリーア時代の詩人が、詩にリズムを持たせるに至ったのは、彼らの心の働きと言葉の働きとが一つになるために、詩の韻律と言葉の意味とが一致することが不可欠だったということが理解できるのです。つまり詩句の意味を変化させる、すなわち心の内なる表現が変わる時には、韻律も同時に変わるということです。

こうして、ジャーヒリーア時代の詩が、歌が持つ性格、すなわち言葉の働きの要素と体の働きの要素とが一つであったという特徴が納得頂けたと思います。この時代の詩は幾重もの要素を兼ね備えたものでした。詩句を部分的に見ても、その部分から出来ている詩全体を見ても、詩の成り立ちそのものが、相互に独立した諸単位が集められ、それが一つに纏められて成るという性格を持っていました。ですから、音楽という意味では、リズムの明晰さと力強さが、コミュニケーションのレベルで言えば、反響と有効性が、記録という観点からも、記憶し易さと持続性とが保障されるものであったのです。

このような考え方から、ジャーヒリーア時代の詩的口承性がもつ韻律は、詩的形式を決定する単なる規則というより、詩の形そのものが本質的に韻律そのもの、つまり詩それ自体が規範そのものなのだと主張するに至るのはもはや必然的な成り行きでした。

そして、詩人の朗誦とそれを聴くものとの出会いこそが、アラブ人の生活と意識への参加であり、彼らの集団的祝祭だったと強調する者が現れるのもまた当然のことでした。

十二

ここまで私は、ジャーヒリーア時代の詩の口承性について、その基本的理論のみに限定してお話して参りました。私見を交えないで必要なことのみを、当時の事実にのみ即して説明し、解明しようと努めたつもりです。

詩に関する議論がさまざまにあるとしても、この時代の詩が私たちの最初の詩であることは疑いのない事実です。アラブ人が自分たちの存在や他者の存在との関わりになかで、初めてその言葉や生活と巡り合ったのが、このような詩を通してだったのです。詩は彼らの表現の意志の表れであると同時に、生存の意志の表れでもあったのです。当時、この詩の創作を通してアラブ人たちは自分たちの歴史に目覚めたと言えるでしょう。しかしそれによってアラブ民族という集団的な意識が形成されるに至ったとまでは言えないと思います。彼らの歴史的自覚の問題について言えば、今日私たちがこの時代の詩を読むことで、アラブ人の最初の声が蘇って来ますし、アラブの歴史的真実が言葉の響きとなり、詩となって鋳造され、さらにそれが歌となって私たちの魂を揺さぶるのが分かります。このような詩こそ私たちアラブ人の言語の最初の血肉化でありますし、それを通して初めて私たちが何ものであるのかが語られ、それまで未知の闇でしかなかった世界に道筋がつけられたのです。以来、詩は私たちの精神的記録であるだけでなく、まさに血となり肉となった記憶であり、さらには私たちの創造力の他のものには代えがたい源となったのです。

しかしながら、ここに一つの問題があります。それは、これまで私が述べてきましたアラブ詩の成立に関わる理論とも関係するのですが、今日私たちとこの時代の詩との間に一つの亀裂があることです。この亀裂は、以上の理論とその原則を理解する仕方、あるいはそれらを前提として行われた批評の方法同様に、説明しておくことは出来ます。と言いますのも、この方法こそジャーヒリーア時代の「口承詩」としての特徴を、一連の規則と基準を援用して体系的に説明してくれるものなのですが、実はそれ以後アラブの詩はこれらの規則や基準を無視し続け、もはやアラブ詩とは言えなくなって来ているのです。このアラブ詩の王道を支えて来た規則と基準こそ、真なるものと偽物とを区別し、詩と詩でないものとを峻別するものでした。従って詩的テキストの批評を行う場合にも、口承詩を取り上げた場合のように、詩的領域と、文章化されたものが求める綿密な観察や研究や緻密な思考や思想などとの区別を明確にして行わなければならないという問題が存在するのです。敢えて言葉を変えて申し上げますと、口承は「時」であり、文章は「場」ですが、このテキストの「場」も口承の「時」も同じ規範から捉えられるべきだと考えているということです。

さて、このようなことから様々な問題が派生して来るわけですが、今回講演という形で頂いた枠の中では、自ずから限界があります。そこで、ここでは私が考えている幾つかの論点を紹介させて頂くことでお許しを願いたいと思います。

まずアラブ詩の規則を巡る議論で目を引くのは、その一貫性です。当時も多岐にわたる議論がありましたが、それらはいずれも一定の視点に基づいて行われていたということです。ではなぜそうなのか、他の観点と紛れることがないのか、それだけが唯一の真実なのか。またなぜそのように見なされたのか。さらに言えば、ジャーヒリーア時代の詩を、仮にこのような視点から離れてみた時に、何故理解されないばかりか、評価もされないのかということです。今日、私たちには、この時代の多彩で豊穣な詩を、確かに時には分散傾向も起こったこともあって、多様な読み方や評価が可能だと考え勝ちになるのです。しかし実はこの多様性の、まさにその中に、この時代の詩の一貫した世界観、解釈、読み方が存在し、そこにそれらを規定して来た言説があるということ、しかもこの言説は、文章化されていないテキスト、言わば先史時代の幻とも言えるものに準拠しているにも拘わらず、一種の絶対的テキストとして、その存在感を顕示していたという事実です。

ジャーヒリーア時代について、これを隠ぺい、あるいは禁じた言説が幾つかあったでしょうか。あったとしたら、それは何故に、またどのようにして行われていたでしょうか。あるいは他の言説を排除するために、かかる言説を独占する権力が存在したでしょうか。またあるとしたら、それはいかなる権力だったでしょうか。宗教的な権力だったのでしょうか。またそのような異なる言説は民族言語が持つ優位性や類似不可能性の原則に基づいたものだったのでしょうか。この原則は遊牧民としてのアイデンティティへの執着、つまり純粋なるものや原初的なるもの、また雑種性や混血性の象徴である都市的なものへの拒否の意思を反映したものだったのでしょうか。あるいはそれらすべての混成物だったのでしょうか。このような言説を繰り返し取り上げ、強調したとして、その目的は実は彼らのアイデンティティの確認の一つの方法だったと、つまりその言説を、それ一つのみを尊重することに異議を申し立て、疑問視する他の言説を排除することによって、彼らの唯一であるべきアイデンティティを守るためだったと言うべきなのではないでしょうか。

すでに申し上げましたように、これらの問題をここで取り上げることは控えさせて頂きたいと思います。仮にそれを詳細に語るだけの気持ちを多少とも持ち合わせていると致しましても、すでに今回のお約束の時間を超えてしまっております。そこで最後に、ただこの一切を規定し、統合しうる、永遠に持続可能なかかる言説の中に、一つの真理を啓示するものが隠されていると申し上げておきましょう。そしていつの日か、この言説を、それもおそらく複数の言説にわたって、解き明かす人たちが必ずや現れることを期待し、ここでの私のお話を終わらせて頂きたいと思います。

加藤周一序説

――その事績と残された最後のメッセージ――

加藤周一は二〇〇八年一二月五日多臓器不全のため満八九歳でその生涯を終えた。葬儀は近親者のみにてすまされ、翌年二月二一日東京有楽町朝日ホールにおいて、生前関係された出版社、新聞社、大学などの有志により、「お別れの会」が開かれた。加藤さんには京都時代に、筆者が編集責任者を務めた春秋刊誌『グリオ　第三地域から世界へ』（平凡社）の代表をお引き受けいただき、大変お世話になったことなどもあり、東京の会への参加と併せ、京都での「加藤周一フォーラム・イン・京都」にも参加した。その際筆者に加藤周一の事績を紹介する機会が与えられた。

加藤周一の事績は、五月頃に国会図書館にて確認したところによれば、三六二点であった。編著、共編著なども含まれているが、その事績を追い、理解し、その全体像を整理・位置づける作業は、並大抵ではない。しかし筆者には、汲めども尽きぬ加藤周一を偲ぶ気持ちがある。今回あらためてその事績の広さ、深さ、大きさに触れ、深い感銘をえた。幾十万字をもってしても語りつくせぬ思いである。叶わぬことと思うが、いずれ機会を得て、「加藤周一論」に挑みたいという希望がある。ともあれ今は、直近の要請に答えて、まずは京都での追悼講演会で報告した原稿に補正を行い、それをもって、私の望みの「はじめ」にしたい。

一、医学から文学への止まぬ関心

生年は一九一九年九月一九日。東京本郷にて、埼玉県の地主の次男医師加藤信一と、佐賀県出身の陸軍将校増田熊六の次女ヲリ子の長男として、生まれる。四歳の年関東大震災、十二歳の年満州事変、その頃芥川龍之介選集や万葉集などを読む。一六歳の年、妹久子と共に、信濃追分にて詩人立原道造に会う。一七歳の年二月に二・二六事件、その年第一高等学校理科乙類に入学。上級生に福永武彦、中村真一郎ら、先生に矢内原忠雄、片山敏彦らがいた。この頃、能狂言や歌舞伎にも興味を示す。最初の評論は、一九三七年二月学生新聞に掲載した映画評「新しき土」。その後も藤沢正の筆名で劇評や短編小説などの活動が見られる。一九四〇年東大医学部に進学するも文学への関心止まず、仏文学科研究室にも出入りし、渡辺一夫、中島健蔵、森有生らを知る。戦中の一九四二年秋に詩の同人グループ「マチネ・ポエティク」がスタートすることは余りにもよく知られている。同名の詩集は、後年一九四八年に真善美社から刊行される。そのなかでよく話題にされるのが、後ちょう」である。

に中田喜直並びに別宮貞雄によって作曲された、少年加藤の淡い初恋の想いを詠んだ詩「さくら横ちょう」である。

加藤は基本的には血液学を学んだ医学生である。東大医学部卒業後は無給研修医として佐々内科に勤務。戦中は信州上田の診療所などで働き、戦後は進駐軍の原爆調査団に加わり、広島に二カ月間滞在して、身を持って原爆の惨状を経験している。その後も医業に約一五年間従事するが、その一方文学への関心も止むことがなかった。『近代文学』、『世代』、『季刊芸術』などにおいて日本と海外を問わず、文学への評論活動が続けられた。そして最初に文壇で注目を集めたのが、一九四七年五月に刊行された『１９４６・文学的考察』（真善美社）である。加藤周一、中村真一郎、福永武彦の順で書き始め、その後順番を交互に入れ替えながら、九回分の三人の評論が収められている。そのうち六回分は前年、雑誌『世代』に「CAMERA EYES」という名で連載され、それに三回分が追加されて、単行本として上梓されたものである。後に多くの評者が指摘するように、戦後文学の一つの宣言書であると同時に、加藤周一の評論家としての出発点を記すものであった。

以後の事績については、ここでは、数多あるものの中から、上記の『文学的考察』も含め、筆者が重要と考える主要な業績を、四節以下においてその魅力のあり様を紹介したい。なおその前に、これら主要な事績の捉え方、読み方について、あらかじめ筆者の考えを述べておきたいと思う。

二、事績を構成する四つのキーワード

加藤周一の事績を辿る一つの方法として、自身が大事にした四つのキーワードと三つの視点について、以下述べておきたい。

まずその事績は次のように整理することができるのではないであろうか。

（1）「日本」を主とする「文学」への関心と研究

（2）「日本」を主とする「芸術」への関心と研究

（3）「日本」を主たる対象とする「社会批評」

すなわち、キーワードは「日本」と「文学」と「芸術」と「社会批評」の四つ。

ではなぜそういう分類になるのか？　それは加藤周一の著作集並びに著作群を見れば自明とも言えるが、自身も以下のように述べる。

なぜ「日本」なのか。

加藤周一は一九九七年の著作集第二三巻に収録されている「『羊の歌』その後」（『セレクション5』にも所収）のなかで、次のように語っている。

「生涯の半ばを日本国で、半ばを外国で暮らしたのは、偶然その機会があたえられたからでも

あるが、私自身がそれを望んだからでもある」

こうして加藤は、外国で暮らし、旅に出かけ、その地の文化遺産を仔細に鑑賞し、またしばしば外国人と議論も重ねたであろう。それが後の加藤周一の博覧強記と視点の広さ・深さを培ったと言えよう。また同時に、加藤は外国の何処にいても日本への関心が途絶えることは決してなかったと言う。同じ文章の最後の下りで次のように断言する。「私の主要な知的関心は、どこに暮らしていても、私自身を条件づけることもっとも広くかつ深かった日本の歴史と社会に向かっていた。この国とその文化が、どういう経過を辿って、どこへ行こうとしているのか」。たとえヴァンクーヴァーの自宅の窓から港を眺めていても、ベルリンの旗亭で学生と議論していても、ヴェネティアの大学で話をしていても、つまり私は折に触れてそういうことを考えていた、というのである。

こうして最後の力作『日本文化における時間と空間』（二〇〇七年三月）にいたるまで、また後述の未完の大作への執念にいたるまで、「日本」と「日本文化」と「日本人」について論じることを決して止めることがなかった。そしてそこで加藤が集中する内容と対象は何であったのか。

それが日本の文学・思想であり、芸術であり、時代社会への言説であった。加藤周一の著作の内容を一覧すれば、これも一目瞭然と言えるが、本人自身、平凡社版『セレクション5』の「あとがき」（一九九五年一〇月）で、自分の著作のテーマ・内容を次のように端的に解説してみせる。

「第一巻は文学一般に係り、第二巻は日本の文学・思想について個別の作家や思想家を論じる。

第三巻は日本美術史の序説、第四巻は芸術一般の議論を集めている。第五巻は、著者が生きた時代のさまざまな出来事に対するそのときどきの反応──怒りや悲しみや希望の表現である」

三、事績を紡ぎ、背景となった三つの視点

加藤周一の事績を読む時に大事なことがいま一つある。それは本人が主として関心をもった対象、つまり文字・思想と芸術なのであるが、その著作や背景を読み解き、また作家その人の立ち位置を理解する場合に、欠かせない三つの重要な視点がある。

加藤が東大医学部時代から、「文学」や「芸術」に広い関心を抱いていたことはすでに冒頭に述べた。しかし彼の仕事、つまりその対象となった作品や作家に対する取り組み方に重要な特徴がある。まずは取り上げる作品を一点ずつ入念に読み、内容を緻密に検証し、かれら作家の仕事や精神を深く掘り下げて、その真髄に迫ろうとする。そのとき加藤は、さらにこれらの作家や作品が影響を受けたと思われる過去の作家と作品に射程を延ばし、果ては辿れる限り古い時代にいたるまで、その流れを追求する。しかもそれだけではない。作家や作品の扱い方にはいま一つ特徴がある。おそらくこれまで文学作品や芸術作品を扱うとき、誰もが成しえなかったような「学際的」とも言うべき社会思想史的方法論が駆使されるのである。つまり、一つの事績を取り上げる場合にも忘れて

ならないことは、ある専門的な角度からのみ読むのではなく、作家や作品を分析する論点を、相互に絡み合った複眼的視点で縦横に見た上で、その全体像を捉えることが大事なのである。おそらくそうすることで、初めて加藤周一の事績相互の連関や全体像の意味が捉えられるのだと思う。

そこでは三つの視点が重要となろう。

(一)「社会的背景」の中で捉える

「文学」作品であれば、作品を単に人間の真実を独特の美しい文体で描いた作品としてのみ見るのではなく、時代社会を反映した「思想」の表現として捉える。そうすることで、またそういう視点から文学作品を捉え直すことによって、これまで見逃し勝ちであった作品や作家の真価を浮かび上がらせることができるからである。例えば明治時代の作家でこれまで東京の下町中心の風俗を戯作者風に描いた作家と見なされてきた永井荷風が、同時代の経済学者河上肇と同じ社会的背景の中で捉えられ、たとえ現れ方は違っても、明治近代化を主導して来た体制の政治に対し首尾一貫して批判的精神と妥協を許さぬ生き方を貫いた作家として論じ、また評価するということが可能になったのだと思う。

(二)「外国」からの視点と「文化接合」を重視する

同様に、「文学」作品であれ「芸術」作品であれ、加藤は日本の伝統的作風に外国からの影響を積極的に取り入れることによって、新しい価値や美が生みだされて来たと考える。そのプロセスは「接合」あるいは「上加」、そしてその結果が「雑種文化」と呼ばれる。つまりある時代のある社会が外来の文化を受容する場合に、それをそのまま尊重し模倣するのではなく、それを自分の文化・社会に適応させるために、創意工夫が加えられて初めて、似て非なる新しい作品・思想、文化・芸術がそこに生みだされて来たと考えることである。例えば一六世紀に大陸から伝来した焼き物の技術は、宋代の青磁や白磁のような表面のなめらかな光沢ある器を日本にもたらした。当時日本人はその輸入品を器用に真似て、それをより優れた陶磁器に仕上げて中国に逆輸出し、それによって大いに貿易の実を上げたことはよく知られている。しかしことはそれだけで終わらなかった。

日本ではそれから数世紀の間に「茶の文化」が生まれ、発展し、それとともに、例えば楽焼(京都)や志野焼(岐阜県土岐)のような表面が歪んだ、独特の新しい茶陶が造られ、茶の湯の世界で格別の名品として重用されることになるのである。さらにそれらは、今日の市場経済のように大量生産されたのではなく、茶陶の作者の名前(銘)入りで珍重され、長次郎の黒茶碗「俊寛」や本阿弥光悦の白片身茶碗「不二山」など多くの作品が創られ、またとない芸術品として今日に残されている。これらの名器は日本以外の場所で作られることはなかった。まさにこうした例が加藤のしばしば言及する外国文化の「日本化」の一つの典型なのだと思う。

（三）「歴史」（文化文明史）的視野と射程の中で作品を理解する

次に加藤は、文学作品や芸術作品をそれが作られた時代や社会だけから見るのではなくて、さらに時空の射程を広げて、それが時代社会の変化や文化文明の発展の中で持続的に蓄積されたものとして、言わば人類の文化的遺産の一つとして捉え、理解しようとした。例えば証拠が少ない古代縄文時代の土器について言えば、およそ一万年にわたる変化と発展の歴史的背景を読み取りながら、鋭い観察眼と想像力を発揮して、それぞれの土器の素晴らしさと特徴を述べている。そういう時の加藤の筆先は、土器そのものの力強さだけでなく、その形象の細部が物語る意味にまで言及する。

そしてさらに驚かされるのは、今、日本の芸術の心とかたちの入口を語り始めたところなのに、論者の目と頭は突然、はるか中米の二〇〇〇メートル高地の峡谷に紀元一五〇〇年前から三〇〇〇年間開花した、神殿ピラミッドへ飛び、例えばその一つユカタン半島のウシュマル遺跡「尼僧院」について次のように切り出す。「これら全体がつくりだす微妙で安定した秩序は、まさに絶妙としかいい様がない」。言ってみれば、文明の時間と空間のなかで孤立した世界で、「これだけ無類の完璧さ」に達した芸術空間は、近代ヨーロッパ美術を考慮に入れても、人類の文明史上類稀だと指摘するのである。

四、『１９４６・文学的考察』

ここで再び加藤周一の事績に戻り、その原点となった、表記論文集で展開されるいくつかの興味ある論点を、その独特の美文体と併せ紹介したい。

まず、後に多くの評者がしばしば取り上げることとなる冒頭の「新しき星菫派に就いて」である。ここで加藤は、医学同級生を例に「戦争の世代は、星菫派である」と述べ、「サイパンで何度目かの決戦が行われた頃である」が、それが何度目かの惨敗に終わることを見抜いた加藤は、「その追及は当然明治維新以来の封建的軍国主義政府と、それを許して何等の見るべき抵抗を示さなかった知識階級とに及ぶべきであろう……と私は言った」。それに対し友人は、「若し万一負けたら玉砕あるのみだと、毎日の新聞にある通りのことを言った」。彼は戦後の今も生きているだけでなく、「日に三度は、小さな声で、平和日本とか民主主義とか、やはり新聞に書いてある通りに唱えている」。そして加藤は最後に、一九三〇年の世代の、「葦笛は孤独と星と運命とを唄う。また菫咲く花園へのあこがれと童話的な愛と死とを讃美する。曳かれ者の小唄は、西洋渡来の旋律に託されて、至る処に流れるであろう」と締めくくる。もちろん新しき星菫派だけが戦後を生き延びた訳ではないだろう。しかしこの加藤の厳しい指摘については、一三年は若い筆者にもうっすらと記憶が甦る。

筆者は敗戦の年一九四五年の夏は中学一年生であった。すでに文学少年に成りかけていたが、沢山いた兄たちが戦争を追う姿や大本営発表の勇ましいニュースに何も分からぬまま興奮を覚えた。戦争末期に集団疎開を経験し、戦災に会い、父親が「日本は負けるんだよ」と早くにポッツリと言っていたこと、その父親が戦後間もなく結核で他界して、母親と共に苦労を重ねたことなどが記憶に残るが、当時の社会情勢について当然ではあろうが、加藤のように確かな認識はまったくもつことがなかった。しかし、「なるほどそういうものなのか」と教えられる部分があったことも事実である。確かに戦中、軍国主義的ナショナリストだった先輩の何人かが、戦後に熱心な「民主主義者」に変身した例を少なからず見た。さらにはその後、冷戦時代に経験した「朝鮮戦争」や「ベトナム戦争」、そのお陰が、つまり他国民の不幸が日本の経済発展を後押しし、「経済大国日本」や「国際国家日本」が叫ばれる時代があった。その頃から再び「日本帝国」や「疑似ナショナリズム」が頭をもたげて来たことも、加藤の指摘と重なって来ると言えなくもない。一方、加藤は本書の文庫版一九七六年の「あとがき三十年後」において、そこには「軍国主義を呪い、詩を愛した日本の青年の知的な客気がある」と記し、敗戦によってはじめて自己表現が可能になったと感慨を披歴している。

本書にはこの「新しき星菫派に就いて」の他に、最後の「寓話的精神」まで八編があり、そのいずれにも青年加藤の内外の文学への強い関心が溢れ、またその背景としての厳しい同時代的社会批評の活気が漲（みなぎ）る。二番目は「或る時一冊の亡命詩集の余白に」である。遠く海を離れた同胞に思いを寄せるドイツの亡命詩人が取り上げられる。その詩は、「唐詩選的な別離の叙情と、平和なパリ街頭風景が数行の裡に」象徴派的な感興を呼び覚ます。そしてこれを受けて加藤は、「エウリピデスのアテナイがイオニアの亡命者に依って栄えたる如く、アレクサンドリアから古代羅馬（ローマ）に至るヘレニズム文化が、流浪の希臘（ギリシャ）人に負う所多きが如く、中世加特力（カトリック）教会がアラビアの学者に……」などと、むしろ日本の詩人が知るべき「亡命詩人にとっての実り多き運命」の背景を語るのである。このように紹介すれば切りがあるまい。以下その内容と趣旨を端的に述べるに止める。

「一九四五年のウェルギリウス」は、東京の悲惨な焼け跡の状況をトロイの落城と重ね、次いで第四編「焼跡の美学」では、「東京は焼けて美しくなったではないか」と述べて、加藤特有の逆説が読者の胸に刺さる。第五編「我々も亦、我々のマンドリンを持っている」は、敗戦の一二月に前進座が上演したフランスの作家ジャン＝リシャール・ブロックの劇作名であるが、そこでも「架空の日本文明を空想し」続けて来た。今も変わったとは言い難い日本に対する加藤の批判的言説が厳しく響く。これらの文章においても『万葉集』などの作品がその象徴として取り上げられるが、次の短いが唯一日本の文学を取り上げた第六編「金槐集について」では、生涯変わらぬ加藤の文学観がはしばしに垣間見えて興味深い。無能の政治家であると同時に天才歌人である源実朝。暗殺の策謀を知りながら、その運命を回避する手立てを敢えて取らず、「烈しい孤独の底で」、「全身の情熱をこめて自らの現在の永遠を捉えようと試み」、その全人生の代償として、類なき名作『金塊集』が残されたと述べる。加藤の言説の真骨頂の一つが早くもそこに見いだされよう。第七編「知識人の任務」は、トーマス・マンがワイマール憲法の運命について論じたものを取り上げている。そこでは日本への言及もあって、「憲法は改正されたが、法律は社会の現実に裏付けられなければ、空文に等しい」と手厳しい。第八編「オルダス・ハックスリの回心」は、神秘的な体験に根拠をおきつつ絶対的なものの追及を試みた、ハックスリの『永遠の哲学』の評価をめぐる議論である。そしてラ・フォンテーヌの『寓話』を取り上げた最終編「寓話的精神」では、〈世捨鼠〉の話が紹介される。鼠の人民の代表が猫軍団に包囲された窮状を聖鼠に訴える。しかるに「世を捨て行い澄ました聖鼠」は「天に祈る他には」と答える。この寓話が加藤によって、いま一つの挿話、ソルボンヌの神話学者が集まるボロワーの家で、ラ・フォンテーヌが「聖アウグスチヌスをラブレーに較べた痛烈な批評精神」と重ねられる。一見呆けて、放心したように見えるラ・フォンテーヌの「狙いは正確であり」、「言葉には過不足」がない。「寓話の作者の眼には、ルイ十四世の廷臣が狐に、当代のなまぐさ坊主が猫に見えた」と述べる。そして加藤は、『寓話』の作者のように、作家の「構想力」が「理性の認識を、創造的なものに」するのに役立つのだと締めくくる。

三人の共著でもあり、三〇〇頁に満たない本書をこれほどまで詳しく取り上げる理由は、本書には、日本と西洋の双方に複眼的視点をおきつつ、文学・芸術、そしてその背景としての社会批評を行うという、評論家加藤周一の生涯一貫した立ち位置が、まさに早くもここに見えるからに他ならない。

五、フランス留学が青年加藤周一に与えた意味

加藤は三二歳から三六歳までの四年間を医学留学生としてフランスで学ぶことになるが、その間フランスを起点に西洋諸国を歴訪することになる。こうして医学部や研究所に通う傍ら、フランス文学や、西欧の美術へ関心を高めていく。実は留学前に京都時代があり、その頃「日本の庭」(一九五〇年、『加藤周一セレクション4』)という文章が書かれている。自伝『続 羊の歌』(一九六八年九月)にも「京都の庭」という見出しがある。小学生の子供をもつ未亡人との生活があったこと、またそこに「室町時代から変わらず、しかも現代の日本からは全く忘れられた多くの寺とその庭があった」ことが記されている。夢窓国師の西芳寺の庭が、「比叡山の麓に、広大な面積を占める」修学院離宮の上下三段の庭が、樹木を全くもたない海のごとき宇宙が広がる龍安寺の石庭が、パラダイスの如く青年加藤の精神を揺さぶった。すでにそこに加藤周一の日本文化の発見があったと言える。

そして留学中の西洋美術への強い関心がそこに重なる。その内容は、「ターナー　美術史の縮図」

（『芸術新潮』一九五五年九月）から「ヴィーンの想い出　デューラーをめぐって」（同一二月）までの文章があり、上記の自伝で、「私はフランスで中世美術を発見した。……美術そのものの私にとっての意味を発見した。造形的な世界が、私の住む世界の全体にとって欠くことのできない一部となったのは、そのときからである」と述べている。こうしてフランス留学は加藤周一を半ば西欧文化の人間に育て挙げていく。そしてあるとき自分が西欧文化にどっぷり取り込まれていることに気付かされる。ヴィーンの人で知られる結婚相手の女性も近くにいた。しかし加藤は結局「人間は二つの文化的アイデンティティを持つことはできない」と考え、日本への帰国を決意するに至る。またそのことが後のヨーロッパ再訪にも繋がることにもなるが、ここで一言だけ付言しておきたい。

それは多くの知識人が経験することであるが、外国に学び・旅し・考え、悩んだ末に初めて、日本人である自分のアイデンティティと、そこで培われた、日本という国なり、社会なり、文化の意味を、あらためて発見するということである。サルトルもつねに一目置いていた、『アデン・アラビア』を書いたフランス人作家ポール・ニザンの事例は、余りにも有名である。加藤も、日本帰国後、やがて医業という生業を捨て、社会的従属から「自由な」、「知識人としての道」を選択し、評論家としての活動を本格化するに至った。

六、評論家加藤周一のいま一つの原点

留学からの日本帰国後、まず論壇で注目を集めたのが、一九五六年六月の『思想』と、七月の『中央公論』で相次いで展開した「雑種文化論」である。前者については多くの評者がすでに取り上げて来ている。最近では、「雑種文化」に代えて、「混成文化」「混成文明」という用語が使われるようになっているが、基本的内容に変わりはないであろうし、その議論の根幹についてはおおよそ三節で述べたので、ここでは、この時期の加藤のいま一つの重要な論点を指摘しておきたい。

それは、一九五七年三月号の『中央公論』に掲載された論文「近代日本の文明史的位置」。この論文は、二月号に掲載された梅棹忠夫の論文「文明の生態史観序説」を意識して書かれたもので、歴史観論争として知られるものである。当時ある大学の先生が「梅棹さんのは、これまでの歴史観を一八〇度ひっくり返すものだ」と感想を述べたことが思い出される。加藤は梅棹の地域横断的な文明史観に対して、社会の発展史観も無視しない方が良いという立場から、日本の伝統文化と近代社会の課題を、西欧文化社会と東洋文化社会の特徴も踏まえて、日本の近代社会の有り様を広い視野から丁寧に論じている。またこの頃の一連の文章の中で、日本および日本人にとって大事なことは、「普遍的な価値を世界から輸入するのではなく、優れた地方文化や個性的表現を普遍的な価値

として世界に実現することである」と述べている。その論点の先見性と有効性はいまでも輝きを失っていないと思う。事実これ以後加藤は評論家としていっそう活動の幅を広げ、文学のみならず、音楽、絵画、映画、演劇、政治など、各種の論壇に積極的な発言を寄せるようになった。

七、再度の外国歴訪と日本文学史への挑戦

加藤は、「生涯の半ばを日本国で、半ばを外国で」と述べたが、一九六〇年一〇月カナダのブリティッシュ・コロンビア大学に招かれ、日本の古典文学を中心とした講義を都合九年間担当する。もちろんそればかりでなく、世界各国の歴訪の旅も再開された。またカナダに次いで六九年にはベルリン自由大学へ、さらに七四年から北米コネチカット州の名門イエール大学で七六年まで教鞭をとる。そこでも日本文化が論じられる。こうして加藤は日本という国や社会や文化を「内からと外からと」、またそれぞれの「時代社会の変容を通して」、全体的に見る視点を確立して行ったと言えよう。明治以来日本人の多くが、その生涯のスタート地点で、あるいは重要な時期に外国に留学しているが、加藤の場合はなお徹底して外国の地を歩き、人と出会い、議論し、考えるという行を終世続けた。国際的知識人と言われる所以でもあるが、それだけでなく、西洋ではフンボルト一派が一八世紀に確立し、今なお日本の学界でも主流を占める「文献」を基礎とする研究方法を超えた、

新しい学問領域を、こうして切り開いたのであり、このような加藤の学問の「国際性」、「学際性」、そして「文理協合」の神髄こそ、五〇年経た今日の学術に正に求められているものであろう。筆者の記憶では、亡くなる二年ほど前に、モントリオール、ロンドン、パリ、ウィーンを経て世界一周の行脚を果たし、一人で上野毛の自宅に帰っている。

さて話は相前後するが、こうしてまず完成されたのが、世界七カ国語に翻訳された『日本文学史序説』（一九七三年～八〇年）である。この間にも広い意味での文学の議論は少なくない。そのなかで重要なのは、著作集『第一巻』および『加藤周一セレクション5』のいずれにも収録されている「文学の擁護」（一九七六年六月、岩波講座『文学』第四巻）であろう。加藤はここで「詩文」を中心とする中国文学、ジャンルに係わる英米文学、そして政治家や宗教者や哲学者の言説を圧倒的に含むヨーロッパ文学の三つの事例を具体的に指摘しながら、特に広い視点からの文学概念の理解が必要だと強調している。そして、現代の時代・社会状況を踏まえながら、おおよそ次のように締めくくっている。

今日の科学技術の進歩は経済社会の急速な発展をもたらし、そのことが第一に伝統的生活様式を崩壊させ、第二に伝統的知的体系を無力化させた。しかし、文学や芸術の生産は、「大量生産方式よりも、職人芸に結びつくもの」であり、管理された「組織によってではなく、個人」によって生み出されるものである。しかるにいかなる文化創造も、「過去から」営々と引き継いで来た「伝統的」「文化」や「価値」を「踏まえずに」は成立しえないはずである。つまりそこに今日の文化的危機の困難さがある。それを乗り越えるためには、まずは長きにわたる日本文化の、また日本人の精神の足跡を丹念に辿り、その意義を歴史的に総括する仕事が必要なのである。

こうして七年の日時を費やし、推考された『日本文学史序説』が書かれた。本書は単に文学史と言うより、日本の伝統的風土と断続的に続く異国との交渉が、織りなされ形成された、総合的な日本の社会思想史とでも言うべき業績と言えよう。であるからこそ、われわれはこれを、ある時は「日本文学史」として、またある時は上層階層から下層階層を包み込む、「日本人の精神史」として読むことができるのである。これほど行き届いた文学史を、あるいはこれほど奥行きのある歴史書を、筆者は他に読んだ覚えがない。ものの見方・考え方、問題の立て方・解決の仕方、史実の位置づけ・歴史観など、プチ・ナショナリズムが騒がしくなっている今日、本書を熟読すれば、「日本という国の在り様」について、また「日本人とは何か」について、政治的イデオロギーを問わず、深い知見と英知が、間違いなく得られるものと思う。また本書には、ひとたび読み始めれば、その世界の奥へと吸い込まれる迫力があり、一種の芸術的感動さえ覚える。今回あらためて通読してみて、これほど楽しい読物は他にないとも思った。半端な推理小説よりスリルに富み、吉本にも優るユーモアと芸があって時に抱腹絶倒することさえある。さればこそ英仏独伊中韓ルーマニアの七カ国語に翻訳され、外国人からみても日本をまた日本人を理解する、またとない知的ガイドブックとなったのであろう。

八、加藤周一の京都時代

一九八八年、加藤は縁あって立命館大学国際関係学部に赴任する。いわゆる京都時代が再度訪れる。最初に筆者が驚いたのは、加藤の講義のレジュメである。「外国文化事情」だったと思うが、例えばこうである。西洋叙事詩に見られる中近世、マーティン・ルターの宗教改革、ルソーの啓蒙思想、マルクスの「ドイツ・イデオロギー」、フロイトの「精神分析学」、ウエーバーの「プロテスタンティズムの倫理と資本主義の精神」などなど。このような内容は、われわれ教員こそが聞かせてもらいたいと思うもので、学部学生には荷が重いと思った。

また、あるとき食事を共にしたが、「ぼくはねー、『資本論』の文体研究をライフワークにしたいと思うんです」。『資本論』は"Das Kapital"、つまりドイツ語で書かれたものである。上記に述べたように、加藤は文学概念を広く考える立場だから、このような仕事がその知的好奇心をくすぐるのであろう。しかし、ドイツ人も聞いたらびっくりしたであろう。残念ながら、この方は実現しなかったようだ。加藤自身の言葉で言えば、「望み多くして成り難い。人生かくの如し」。

いま一つエピソードがある。加藤に代表を引き受けていただいた、春秋刊誌『グリオ　第三地域から世界へ』の創刊記念シンポジウムが、一九九一年三月一〇日に開かれたときのことである。シンポジウムのテーマは「現代世界の危機と文化」、ちょうど冷戦終結後、民族紛争が頭をもたげ、アメリカの一極支配が始まり、そのさきがけを告げるように、「湾岸戦争」がはじまって話題を広げたときであった。聴衆は廊下まで溢れ、議論も活況を呈し、座長の加藤周一が最後に、中原中也の「朝鮮女」と中野重治の「雨の降る品川駅」を引用して、雑誌『グリオ』の立ち位置である、「第三地域から世界を見る」、その重要な視点をズバリと述べて締めくくった。その時のドスの利いた迫力は言うまでもない。

しかしここで今でも記憶に残るいま一つのシーンがあった。実はそのあとの夕食会の席でのことである。各分野の専門家の先生方が、葡萄酒の勢いも借りて次々と加藤に議論を挑む。いずれも名だたる先生たちであったが、しかし、結局加藤の議論の迫力に押されて、次々と退散を余儀なくされた。そして最後に残った中東・イスラームの専門家に「イスラームのことは先生に教えてもらわないとね」と微笑を返したのである。また後のことであるが、日本のキリスト教学を代表する方が、「キリスト教についても私は加藤さんに敵(かな)わないのです」とポツリと言ったことがある。これらはほんの一部の事例に過ぎない。要するにことほど左様に、加藤周一が百年に一人の、「知の巨人」であることの内実が、おそらく多くの人に納得いただけると思う。

九、いま一つの代表作『日本その心とかたち』

ちょうどその頃取り組まれ完成されたのが、『日本その心とかたち』十巻である（一九八七〜八八年、後に『著作集』第二〇巻、一九九七年、および『加藤周一セレクション3』「日本美術の心とかたち」、二〇〇〇年、スタジオジブリDVDなど）。縄文時代の傑作「火焔土器」から始まり、富岡鉄斎に至る日本美術史である。本書では各時代の日本の芸術作品が取り上げられる一方で、メキシコの古代文明に始まり、中国の洛陽は言うに及ばず、今のパキスタンのガンダーラ、中世ドイツの小都市、フランスの修道院、それに一休宗純からファン・ゴッフォへ、水墨画からカンディンスキーへ、尾形光琳からエミール・ガレへ、楽焼長次郎からジャクソン・ポロックへなどなど、比較文化文明的な視点が次々と目まぐるしく展開する。こうして本書は、あるときは読者の目を楽しませ、釘付けにし、感動させ、あるときは読者の想像を掻き立て、興奮させ、また思索に更けさせて止まない。

また、加藤には、これとは別の文章がある。それは本書刊行から二年後に刊行された春秋刊誌『グリオ』創刊号（一九九一年三月、平凡社）に掲載された、「古代ナイジェリアの彫刻」である。ロンドンの美術展で、熱帯アフリカ・ナイジェリアの古代彫刻に出会った際の感動を語ったものである。そこでおおよそ次のように述べている。

これまで自分は数々の彫刻と出会い、深い感銘を受けて来た。「中東・エジプト、ギリシャ・ローマから近代ヨーロッパ、北東アジアからインド・メキシコ」など。しかしここロンドンで、「驚天動地、全く思いがけない啓示」に接したことを記しておかねばならない。そこには今までに見られなかった「独特の造形世界」が拡がっていたからである。ここで具に見ることの出来た、これら一二世紀から一五世紀のナイジェリアの彫像には、「おそらくモデルさえ用いて」つくられた「個性的な特徴」が、「その瞬間的な表情」、すなわち「気品」と「おごらない誇り」と「高雅な落ち着き」を伴って、「鮮やかに表現」されていた。

つまり加藤はそこに、思いもかけず高度に洗練された知的で感性豊かな、類まれなる造形世界を、新たに発見したのである。こうして加藤は、複製や写真や文献ではなく、直接事物を見ない限り、意見を述べないことを信条として来た。言ってみれば、このナイジェリア彫刻観も含め、加藤周一のいま一つの代表作『日本その心とかたち』は、「加藤版・世界文化遺産」と言わなければならないであろう。

十、最後の力作と未完の大作

加藤周一の事績は追い始めると切りがない、というのが今回の筆者の実感である。したがってここでは最後の力作『日本文化における時間と空間』（二〇〇七年三月、岩波書店）について一言触れておく。日本人や日本文化に対して加藤が長年係わり、思考を巡らし、辿りつき、「今＝ここ」主義と締めくくった、言わば集大成的業績である。しかし、なぜここまで日本文化のアイデンティティに拘り（こだわ）り、それとの決着を付けずにすまなかったのかは、加藤自身の言葉とは別に考えてみる必要があると思う。

それとも関係するが、加藤が死の直前まで資料を集め続け、完成を目指していた仕事があった。それは思うに『鷗外・茂吉・杢太郎と日本の文明史観』となるはずのものであろう。上野毛の自宅から筆者に、二〇〇六年一二月一八日付けで送られてきたファックス文の最後に、「小生は今、鷗外・茂吉・杢太郎の、歴史観・科学観・文学観など、来年二〇〇七年には、さらにその先の、またその先の、文明史観まで、視野を拡大できたら」と記されてあった。その構想の大きさ、思考回路が行きつく先の深さが、今更ながらに筆者の心に響き、打つ。さぞや無念の限りだったと、あらためて思う。

十一、加藤周一と日本の現代

最後に加藤周一が残したメッセージとその意味について、議論は尽きないと思うが、一言だけ付け加えておきたい。それは、「日本近代は、人間の非個性化、人間の非人格化、人間の非人間化です」という言葉である。「岩波」や「朝日」をはじめ、日本の多くの論壇の加藤に対する評価は、日本の「モダン」を代表する「知の巨人」である。その加藤がこう直言した真意を、私たちは考えなければならない。

第一は「日本の近代化にはどういう問題があったのか」、第二は「では近代以後、つまりこれからの日本は希望の持てる社会となることができるか」、第三は「そもそもここまで辿りついた私たちの文化文明世界はどうなるのか」という三つの問題提起として受け止めたい。

第一の問題は、加藤は近代＝明治を西欧文明開化とは必ずしも捉えていないが、一方で、近著『日本文化における時間と空間』では、「明治の二〇年ほどは、……あらゆる領域に多くの選択肢があり、どの選択肢にも支持者があり、……憲法草案だけでも、多くの種類があり、根本的に異なる価値観を示していた」として、日本近代にも可能性があったと述べている。そしてその後の日本社会の歩みは、加藤の日本文化議論を含めて、簡潔に言えば、戦前は言うに及ばず、戦後も、高度成長以後も、根本的に変わるところがない。外来文化の受容であれ、時代社会の受容であれ、これまで様々な苦難を乗り越えて生み出して来た、貴重な精神や知恵が積極的に受け継がれたとは言えないということになろう。加藤の言葉で言えば「土俗的世界観」。日本人は仏教や儒教、漢学や洋学などの外来文化を受容しつつ、つねに日本化し、洗練させてきた歴史がある。例えばアフリカなどで言われるauthentique、つまり「借り物でない、偽物でない」本来的「文化力」の喪失ということではないか。したがってやや唐突に聞こえる「最後のメッセージ」も、長年の加藤の西欧だけでなく、世界の文化文明への理解と、日本文化への深い理解に由来する、当然の帰結と言える。

第二の問題はどうであろうか。これも加藤の議論に即して考えてみたいと思う。

加藤は三五歳で、丸山眞男の日本文化「雑居論」ではなく、「雑種文化論」を主張して日本の小さな希望を述べ、五〇年後の八四歳で、「九条の会」を大江健三郎ら九名と共に結成して、日本の未来への希望を託した。三五歳の時は「小さな希望」であり、八四歳の時は、世界からは「非常識」とも見える「希望」であった。その意味では加藤は、近・現代日本に対して一貫して厳しい見方を持っていたと思う。私自身も、ヴィジョンが持てない政治家や指導者の下におかれ、社会システム自体が崩壊しかかっている今の日本という国のかたち、またそこで漂流し続けている政治家やビジネスマン、それに青年たちの心の有り様を日々如実に体験していると、これからの日本が「安心立命」出来る社会となる希望が大きいとは、なかなか言い難い。

次にこれからの文明世界の行方について、私たちはどう捉え、理解すべきであろうか。今年の秋、私たちGN21は、「人類再生シリーズ」の七冊目として、「内からのグローバリゼーション」というコンセプトを基本に据えた、二四章からなる本を刊行する予定である。「内からの」とは聞きなれない言葉だと思われるであろう。ここで言う「内からの」とは、「上」から、また「外」から、無遠慮にやって来て、世界中を蹂躙して憚らない、いわゆる「グローバリゼーション」という怪物と、いかに対峙するかという問題である。国レベル・地域レベル・職場レベルであれ、また都会・農漁村・里山であれ、一人ひとりが、その依って立つ心の拠り所を発見し、しっかり見据えて、それを今日の疎外された現実に生かすことが重要である。

加藤が愛したシリアの詩人、アドニスの言葉をかりれば、「近代的伝統を生かし、超える、新しい普遍的文化」を、その原点に立ち返って生み出すことである。さらに言うなら、今世界中に跋扈する、このグローバリゼーションという化け物をむしろ我が内に取り込んで、異化し、純化し、「化け物」そのものを「希望の文化」に変えてしまうことである。そのこと以外に、二一世紀の文明世界に未来はないと考える。

おわりに

加藤周一がわれわれに残したメッセージについては、多くの解釈が可能であろうし、答えも決して一つでないであろう。しかし、それを承知で、取り敢えず私見を述べるのは、筆者には加藤周一への公私に及ぶ恩義があり、強い偲ぶ気持ちがあり、その師匠にとにもかくにも一言答えておく義務があると考えたからに他ならない。今や、すでに加藤周一は「彼岸」の人である。「一回限り」

とは言え、その人生は、思えば、長い思考の、長い感情の、長い心の、またそれらのたたかいの、長い道のりだったと思う。

最後に、加藤自身も引用した、大徳寺の禅僧一休宗純のものと言われる一首を、「長い間ご苦労さまでした」という気持ちを込め、紹介して、筆をおく。

有漏路(うろじ)より　無漏路(むろじ)へ帰る　一休み　雨降らば降れ　風吹かば吹け

（二〇〇九年）

あとがきに代えて

人間は「時代社会の子」と言われます。一方、その時代がどういうものだったのかを記述するのが歴史家です。しかし例えば一九世紀の時代社会を理解するのに役に立つのは必ずしも歴史書とは限りません。筆者が学生だった頃、心理学の担当教授が学生を前に、「僕の講義を聞くより小説を読んだ方がはるかに人間心理を理解するのに役に立つ」と述べたことがあります。その後、修士課程修了後に運よくフランス語担当の専任教員となり、一般教育の「文学」も担当させられましたが、二、三年ほど経った頃、それまで美学を担当していた某有名教授が、ご本人の強い希望で退職され、事務長から「貴方に美学を担当してほしい」と迫られました。その任にあらずとお断りしたのですが、粘りに粘られ、ついに押し切られて、有名教授の後釜を引き受ける羽目になりました。

日本の美学の源流がドイツ美学に在ることは知っていましたが、美学理論の講義ではなく、苦し紛れに、筆者が好んで聴いて来た西欧近代のクラシック音楽の鑑賞でお茶を濁すことにしたのです。ところがこれが意外に学生には受けて、無事乗り切ることが出来ました。学生の頃聞かされた心理学担当教授の言葉が筆者を救ってくれたと言えるでしょう。

つまり、その時代社会を生きた人間像やその生き方・価値観・世界観を理解し、それを自らの人生の糧にするためには、歴史書だけでなく、詩や小説、音楽を鑑賞することが役に立つと考えて来たからだと思います。

＊　＊　＊

さて、その後の筆者の人生を振り返ると、立命館大学法学部に請われてお世話になり、国際関係学部設置責任者・外国語教育連絡協議会委員長・学生部長等管理職を勤めました。そんな折、攣縮性狭心症の疑いありとの診断を受け、程なく依願退職し、治療と休養に専念しました。

体力回復の自信が得られたところで羽衣学園の熱意あるお誘いを受けて、同学園理事会顧問・同女子短期大学教授・四年制大学設置室長・同大学副学長・同現代社会学部長等の役職を無事勤めてほっとしたところに、ベトナム国家大学からお誘いを頂きました。満七二歳です。流石に半年の猶予をお願いして、同年九月にハノイに飛びました。

当地では、同大学東洋学部日本学科で教鞭をとることになったのですが、ところ変われば気分も変わると言いますか、九階建てマンションの最上階に落ち着き、空気も環境も日本よりはるかに良いこともあって、体調もすっかり取り戻し、機嫌よく大学に通い始めて間もなく学長室に呼び出され、学長顧問も務めてほしいと要請され、イエスもノーも返答できない内に、用意された辞令を渡されてしまったのです。しかし今振り返ってみても、実に楽しくまた充実した二年間になりました。帰国後も数度、講演等に招かれ、今日に至っています。

また、この間、国際交流団体「グローバルネットワーク21」を設立し（ホームページ http://www.gn21.net）、事務局長・同代表として、七〇名余の理事の皆さんに支えられ、あまり役に立たない評論家として生きながらえています。

なお、本書は筆者の単著としては五冊目で、収録されている評論・エッセーの多くは、『現代文明と地球の行方』以後、約一〇年間に発表されたものです。日付のないものは、正確な記録が手許になく、また記憶も定かでないためであって、その点はご容赦願います。

＊　＊　＊

この数年間、筆者が強い関心を持っている問題が二つあります。「地球温暖化」と「絶滅危惧種」の問題です。特に「地球温暖化」は、もはや警鐘では済まされない、国・地域を超えた、地球上に生きる人類の胸元に突き付けられた、まさに地球そのものの生死に関わる「死滅の刃」そのものです。

いま地球上の人々が抱えている「新型コロナ」も確かに楽観を許さない難題ですが、過去の感染症の事例に照らして見れば、いずれも数年で収束しています。もとより、ここですべての国民・市民に責任を担う政治家が判断を誤れば、ペストやコレラに匹敵する惨劇を誘発し兼ねませんが、しかし、「地球温暖化」は、ドイツや日本などの専門家・科学者が指摘しているように、地球村沈没、地球上の生物全滅という取り返しのつかない事態になる恐れがあるのです。

最近になって、熱帯地方の最高峰キリマンジャロの氷河が消滅しかけていることがベテラン登山家によって確認されています。またロシアのシベリア北極地域の氷河が音を立てて崩落している事実が、二〇二〇年ドイツで制作された『薄氷のシベリア、温暖化への警告』によって明らかになりました。このまま二〇三〇年までにしかるべき措置をとらないで放置するなら、かつて日本のSF作家、小松左京が一連の作品『日本沈没』（一九七三年）・『復活の日』（一九六四年）で描いた仮想の世界が、現実のものとも成りかねないのです。

＊　＊　＊

本書に収録された講演会で、科学技術の発展には二つの顔、ポジティブな側面とネガティブな側面があるというお話をさせて頂きました。それにしても「進歩」とは、いったい何でしょうか？「発展」とは何だったのでしょうか？　またGDPに拘る今日の政治経済は、私たちに対して如何なる未来を指し示しているのでしょうか？

ある時、親しい友人の一人が「もう終わりですね」とたまりかねたように訴えられたことが、いまなお喉に突き刺さったままです。しっかり対応できなかったこと、いまもできていない自分自身を情けなく思うばかりですが、スウェーデンの一八歳の少女、グレタ・トゥーンベリさんは、「国連気候変動会議」に招かれて、「地球温暖化」防止を国際社会に向けて訴え、世界各地で若者中心の運動が広がっています。娘や孫たちの世代のためにも、ここで諦めるわけにはいきません。

ですから、本書を手に取って下さる皆様と共に、まずは正念場のこの一〇年を、必死に生きて行きたいと思っています。

二〇二一年四月五日　　　　齢九〇となった日に　　　　片岡幸彦

著者紹介

片岡 幸彦（かたおか・さちひこ）

1932年、東京生まれ。大阪市立大学大学院修了後、大阪電気通信大学助教授、立命館大学法学部・国際関係学部・同大学院教授、羽衣国際大学現代社会学部教授・副学長、ベトナム国家大学東洋学部教授・学長顧問等を経て、現在、国際交流団体「グローバルネットワーク21」代表（http://www.gn21.net）。

単著・編著に『アフリカ・顔と心』（青山社、1986年）、『地球化時代の国際文化論』（御茶の水書房、1994年）、『現代文明と地球の行方』（文理閣、2008年）、『人類・開発・NGO』（新評論、1997年）、『下からのグローバリゼーション—「もうひとつの地球村」は可能だ』（新評論、2006年）、『グローバル世紀への挑戦』（文理閣、2010年）など。また翻訳にO・センベーヌ著『消えた郵便為替』（青山社、1983年）、M・バナール著『ブラック・アテナ』（監訳、新評論、2007年）ほか多数。

地球村の終焉
——絶望と希望のはざまで

2021年5月15日　第1刷発行

著　者　片岡幸彦

発行者　黒川美富子

発行所　図書出版　文理閣
京都市下京区七条河原町西南角〒600-8146
TEL（075）351-7553　FAX（075）351-7560
http://www.bunrikaku.com

印刷所　モリモト印刷株式会社

ISBN978-4-89259-889-0